Chères lectrices,

Bienvenue dans « Secrets et Scandales », une grande fresque familiale consacrée, comme les plus beaux récits de la littérature, à l'histoire de deux clans ennemis, les Whitmore et les Campbell. J'ai choisi d'en situer l'intrigue dans le monde fascinant des joailliers australiens — un univers raffiné, mais aussi sans pitié — en mettant aux prises des personnages passionnés autour d'une pierre précieuse extraordinaire : l'Opale noire.

L'héroïne de cette saga est une jeune fille hors du commun que j'ai appelée Gemma, car son caractère et sa beauté me semblent d'une pureté aussi rare et précieuse que celle d'une opale.

A la recherche de ses origines, et avec l'Opale noire pour seul indice, Gemma va faire la connaissance du clan des Whitmore. Elle est loin de se douter des remous qu'elle va susciter dans cette famille : chez Nathan, dont elle va devenir la femme, mais aussi dans son entourage. En effet, en même temps qu'elle va éclaircir le mystère de sa naissance, Gemma va changer le destin des Whitmore et le lier définitivement à celui des Campbell... Des bouleversements qui aboutiront, bien sûr, à un heureux dénouement !

Je vous laisse maintenant découvrir ce roman que vous aurez, j'espère, autant de plaisir à lire que j'en ai eu à l'écrire !

Miranda Lee

MIRANDA LEE

Miranda Lee est australienne, et vit non loin de Sydney. Née et élevée dans le bush, elle a fait toute sa scolarité dans une école religieuse avant de se consacrer à l'étude du violoncelle. Plus tard, elle change radicalement de voie et s'installe à Sydney, décidée à faire carrière dans le monde tout nouveau de l'informatique. Un mariage heureux et la naissance de ses trois filles la détournent progressivement de sa vie professionnelle. Elle se consacre alors avec plaisir à la vie de famille, qui va lui permettre, en restant à la maison, de découvrir un autre univers : celui de l'écriture.

Depuis, Miranda Lee a publié une cinquantaine de romans qui se sont vendus à plus de dix millions d'exemplaires dans le monde. Chacun de ses livres incarne son style très particulier : un rythme vif, des situations sexy, des personnages passionnés et des intrigues captivantes. Sa devise : ne jamais ennuyer le lecteur ! D'ailleurs, ses millions de lectrices et de fans dans le monde entier en témoignent : les romans de Miranda Lee vous tiennent en haleine du début à la fin. Heureuse, bien entendu !

Résumé des romans précédents...

A la mort de son père, Gemma Smith quitte sa campagne natale pour se rendre à Sydney. Elle espère découvrir l'identité de sa mère mais également y vendre son étonnante découverte, une somptueuse opale trouvée dans les affaires du défunt. A Sydney, elle rencontre Nathan Whitmore, le fils adoptif du joaillier Byron Whitmore, qui lui apprend que cette pierre a été volée à sa famille vingt ans plus tôt. Touché par la vulnérabilité de Gemma, Nathan lui rachète l'opale à un très bon prix et lui propose de s'installer à Belleview, la grande propriété familiale. Il tombe bientôt amoureux d'elle et la demande en mariage.

Séduite, Gemma accepte. Jeune mariée, elle assiste alors à de nombreux bouleversements dans le clan des Whitmore. La sœur adoptive de Nathan, Jade, a en effet découvert le bonheur dans les bras du milliardaire Kyle Gainsford ; Melanie, la gouvernante, a fait son deuil d'un passé tragique pour épouser Royce Grantham, un pilote de course ; quant à Ava, la sœur recluse et corpulente de Byron, elle s'est transformée en une vamp svelte et sensuelle qui a conquis le cœur de Vince Morelli, entrepreneur d'origine italienne.

Gemma, pour sa part, a l'impression que son existence tourne en rond. Car, outre le fait que son mari la néglige, elle ignore toujours quelles sont ses origines familiales. Cependant, au moment où elle s'y attend le moins, le destin lui permet de retrouver la mère qu'elle avait toujours recherchée, ainsi qu'un père qui n'était pas celui qu'elle croyait. Mais une fois passé le choc d'apprendre qu'elle est la fille de Celeste Campbell et Byron Whitmore, Gemma se voit aussitôt confrontée à un nouveau défi : comment reconquérir le cœur de son mari, qui la croit coupable d'une liaison avec le sulfureux Damian Campbell ?

Cet ouvrage a été publié en langue anglaise sous le titre :
MARRIAGE AND MIRACLES

Traduction française de
JEAN-BAPTISTE ANDRÉ

HARLEQUIN®

est une marque déposée du Groupe Harlequin
et Azur® est une marque déposée d'Harlequin S.A.

Illustrations de couverture :
Opéra de Sydney : © BRENT DANIELS / MASTERFILE
Couple : © ROB LEWLINE / CORBIS

83-85, boulevard Vincent-Auriol, 75013 PARIS — Tél. : 01 42 16 63 63
Service Lectrices — Tél. : 01 45 82 47 47
ISBN 2-280-20222-0 — ISSN 0993-4448

MIRANDA LEE

Retour de flamme

HARLEQUIN

COLLECTION AZUR

Les principaux personnages de ce livre :

Gemma Smith Whitmore : A la mort de son père, Gemma découvre une magnifique opale, ainsi qu'une vieille photographie qui jette un doute sur son identité. Dans l'espoir de découvrir la vérité, elle se rend à Sydney où elle tombe amoureuse de Nathan Whitmore, qu'elle épouse peu après. Par un extraordinaire coup du hasard, elle finit par découvrir l'identité de ses véritables parents. Mais son mariage, dans le même temps, s'effondre. Nathan, en effet, semble incapable d'aimer…

Nathan Whitmore : Fils adoptif de Byron Whitmore, Nathan a été arraché par ce dernier à une enfance malheureuse qui l'a irrémédiablement marqué. Froid et brusque en apparence, saura-t-il enfin ouvrir son cœur à Gemma et sauver ainsi son couple ?

Celeste Campbell : P.-D.G. de Campbell Jewels. Sa beauté tapageuse et son talent pour les affaires en font une femme unanimement redoutée. Mais cette attitude scandaleuse ne vise qu'à dissimuler la blessure secrète que même le temps n'a pu effacer. Jusqu'au jour où Byron, son amour de jeunesse, et Gemma, la fille qui lui fut arrachée tout bébé, lui sont enfin rendus…

Byron Whitmore : Veuf depuis peu, Byron est le patriarche de la dynastie Whitmore. Après un mariage désastreux, le destin lui fait retrouver la seule femme qu'il ait jamais aimée, Celeste, et une fille dont il ignorait l'existence, Gemma.

Damian Campbell : Frère cadet de Celeste, Damian n'a d'autre but dans la vie que de satisfaire son amour immodéré pour le jeu, la boisson et les femmes. Et il se moque bien d'être la première victime de cette vie dissolue !

1.

La première d'une nouvelle pièce de Nathan Whitmore était toujours un événement à Sydney. Il était monnaie courante de voir le Premier ministre et différents officiels y assister en compagnie de leurs épouses, ainsi que diverses célébrités qui faisaient souvent les couvertures des tabloïds ou des magazines féminins.

Gemma, debout dans l'entrée du théâtre, étudiait tous ces visages avec un singulier manque d'intérêt. La célébrité en tant que telle ne l'impressionnait pas. Peu de temps auparavant, elle n'aurait sans doute reconnu aucune des personnes qui se pressaient là ce soir. Et sa vie n'en avait pas été moins belle pour autant.

— Souriez, madame Whitmore, lui dit l'un des photographes. Et vous aussi, madame Campbell.

— Souris, Gemma, chuchota Celeste sans desserrer les dents. C'était ton idée, tu te rappelles ? Je t'avais dit de ne pas venir. Mais maintenant que tu es là, essaie de faire bonne figure.

Toutes deux adressèrent leur plus joli sourire au photographe et Gemma se plut à imaginer la tête que ferait ce dernier s'il apprenait qu'il avait devant lui une mère et sa fille. La nouvelle ne manquerait sans doute pas de provoquer des remous dans tout Sydney, surtout si elle s'accompagnait de la révélation du fait que son père n'était autre que Byron.

La querelle homérique entre les patrons de Whitmore Opals et Campbell Jewels avait en effet fait les choux gras de la presse à sensation au cours des années passées. On avait parlé d'une liaison qui avait mal tourné, mais nul n'aurait pu soupçonner l'extraordinaire succession d'événements qui avaient conduit à la naissance de Gemma, à son enlèvement par un homme qui s'était cru son père, et à son retour dans sa véritable famille vingt ans plus tard.

Cela faisait à peine trois jours que Gemma avait découvert la vérité, mais elle avait déjà noué avec ses parents biologiques un lien d'une rare intensité, dénué de toute gêne ou maladresse. Tous deux étaient des gens exceptionnels — pas des saints, non, mais deux personnes qui ne demandaient qu'à lui offrir leur amour. Et le fait qu'ils allaient enfin se marier ajoutait encore au bonheur de Gemma.

Son propre mariage, en revanche, n'était pas au beau fixe... Son plan pour retrouver son mari lui avait paru en théorie une bonne idée. En pratique, il lui semblait beaucoup plus dangereux. Mais quelle alternative s'offrait à elle ? Elle aimait Nathan plus que sa propre vie et elle était certaine que, quoi qu'il affirmât, il l'aimait encore. Elle ne laisserait pas un simple malentendu détruire leur couple. Surtout à présent qu'elle était peut-être enceinte.

— Qu'est-ce qui retient Byron ? demanda-t-elle d'un ton inquiet, après le départ du photographe. J'espère qu'il n'essaie pas de jouer les conciliateurs entre Nathan et moi. Je lui ai demandé de ne pas se mêler de ça.

— Byron n'est pas stupide à ce point. Et il sait que sa cote auprès de son fils adoptif n'est pas au plus haut, en ce moment. Nathan n'a pas apprécié d'apprendre que Byron et moi avions couché ensemble alors que celui-ci était marié à Irene. Ni de savoir que nous allions passer devant le maire…

— Pauvre Byron, lâcha Gemma dans un soupir. Il mérite mieux que ça.

— C'est vrai. Et pour être honnête, je crois que tout le monde mérite mieux que Nathan. Comment peux-tu encore l'aimer après ce qu'il a fait ? Ça me sidère. Te dissimuler mon identité était déjà criminel, mais quand je pense à…

— Tu avais promis de ne plus en parler, coupa fermement Gemma. Tu sais que Nathan n'était pas lui-même quand il a fait ça. Si je peux pardonner et oublier, pourquoi ne le pourrais-tu pas toi aussi ?

Celeste pinça les lèvres d'un air réprobateur.

— Je suis désolée, mais je ne supporte pas l'idée qu'un homme puisse user de violence à l'égard d'une femme, quelles qu'en soient les raisons. Mais c'est ta vie. Je vois que tu es décidée à sauver ton mariage.

— Et tu as promis de m'aider dans la mesure de tes moyens.

— Dieu seul sait pourquoi, maugréa sa mère.

— Parce que tu m'aimes ? suggéra Gemma en souriant.

Celeste sentit une bouffée d'amour maternel envahir son cœur, et ce brusque trop-plein d'émotions lui fit monter les larmes aux yeux. Elle battit des paupières pour éclaircir sa vision, et serra farouchement la main de sa fille avant de répondre :

— Je te croirai sur parole si tu me dis qu'il vaut la peine que tu te battes pour lui, et qu'il n'est pas le pire monstre que la terre ait jamais porté.

— Lenore pense aussi qu'il en vaut la peine. Elle sait de quoi elle parle : elle a été mariée douze ans avec lui.

— Eh bien, quels que soient les défauts de Nathan, je dois dire qu'il sait comment inspirer du dévouement à ses épouses.

— Il n'en a eu que deux, protesta Gemma.

— Jusque-là. Si vous divorcez, comme il en a l'intention, ça laissera le champ libre pour le numéro trois.

— Nathan et moi n'allons pas divorcer, déclara fermement Gemma. Et il n'y aura pas de numéro trois.

— Oh ? Et comment comptes-tu le faire changer d'avis ?

— Par tous les moyens dont je dispose.

— Hmm...

Celeste l'examina rapidement, et un sourire apparut sur ses lèvres.

— Je me demandais pourquoi tu tenais tant à être là, ce soir. Je comprends à présent que ce n'est pas la pièce qui t'intéresse, mais la fête qui aura lieu après.

Gemma, à ces mots, sentit une rougeur coupable envahir ses joues. Mais elle refusa de céder à l'embarras. Nathan était son mari, après tout. Et puis, elle n'était pas habillée de façon aussi provocante que Celeste en d'autres occasions. Certes, sa robe de crêpe rouge était très ajustée, avec une large ceinture soulignant le galbe de ses hanches. Et il fallait reconnaître que le décolleté en V était plongeant au point qu'on pouvait voir qu'elle ne portait pas de soutien-gorge. Mais arborer pareille tenue n'était tout de même pas un crime !

— Je veux simplement lui parler, mentit-elle.

— A jouer avec le feu, on risque de se brûler, déclara doucement Celeste. Je le sais, je l'ai fait...

— Et si je ne m'abuse, tu as fini avec l'homme que tu aimais. J'aimerais avoir la même chance.

Celeste ne put retenir un mouvement de surprise. La résolution de Gemma était impressionnante, presque féroce. Elle tenait apparemment de Byron et d'elle, tout aussi incapables de s'avouer vaincus sans avoir combattu jusqu'à épuisement !

— Ah, voilà Byron, annonça-t-elle, heureuse de cette diversion. Nous pensions t'avoir perdu, mon chéri. Comment ça va, en coulisses ?

— Tout le monde est très nerveux. Sauf Nathan, comme d'habitude.

— Qu'est-ce qu'il a dit sur moi ? demanda anxieusement Gemma.

— Rien du tout.

— Est-ce qu'il sait que je suis là ? insista-t-elle, luttant contre le découragement. Et que je serai à la soirée ?

— Je l'ai mentionné dans la conversation, mais il n'a pas semblé y prêter attention. Je dois dire que je suis assez choqué par son attitude. Je ne l'ai jamais vu si dur, si inflexible. A croire qu'il s'est retiré en lui-même, derrière des murs que nul ne peut pénétrer.

— Ce n'est qu'une façade, expliqua Gemma, faisant de son mieux pour y croire elle-même.

Celeste avisa sa mine soucieuse, et décida qu'un changement de sujet était de circonstance.

— Allons-y, ça va bientôt commencer.

Bon sang, si ce monstre de Nathan faisait encore souffrir sa fille, elle le tuerait de ses propres mains !

— La sonnerie n'a pas encore..., commença Byron.

Celeste le fusilla du regard, et il reprit d'un air gêné :

— Mais tu as raison. Nous devrions y aller.

Un photographe les prit tous les trois ensemble comme ils se dirigeaient vers la porte à double battant donnant sur le parterre. Byron et Celeste, par réflexe, se fendirent d'un rapide sourire. Gemma, en revanche, continua d'arborer la même mine sinistre qui reflétait l'intensité de son tourment intérieur. La confiance qu'elle avait dans la réussite de son plan se fissurait de plus en plus, tout comme sa foi en l'amour de Nathan.

Leurs sièges, parmi les meilleurs, étaient au milieu du cinquième rang. En tant que producteur de la pièce, Byron avait droit à la rangée tout entière. Il avait donc proposé des places à Jade et Ava, mais toutes deux avaient refusé en signe de protestation contre l'attitude de Nathan. Elles avaient déclaré qu'elles ne lui adresseraient plus la parole tant qu'il ne reviendrait pas à la raison.

Gemma s'assit, le cœur battant, et fit mine de s'occuper en feuilletant le programme que Byron avait acheté. En tombant sur la photo de son mari, elle ne put retenir un tressaillement. Le noir et blanc donnait à son visage une dureté qu'elle n'avait jamais remarquée. Nathan lui était toujours apparu tel un dieu blond et solaire, follement séduisant. Mais son regard, sur papier glacé, dégageait autant de chaleur qu'un matin d'hiver. Son sourcil gauche légèrement arqué et le demi-sourire qui flottait sur ses lèvres ajoutait encore à son cynisme apparent.

Gemma se rembrunit. Elle avait toujours détesté ce sourire-là, vaguement condescendant, qui semblait indiquer qu'il savait des choses qu'elle ignorait. Le monde, aux yeux de Nathan, était un lieu de luxure et de débauche dont il avait voulu la protéger en l'enfermant dans une cage dorée. D'une certaine façon, cependant, elle le comprenait. Comment aurait-il pu réagir autrement après avoir été élevé par une mère droguée qui se souciait de lui comme d'une guigne ? Qui l'avait ballotté de pension en pension selon ses déplacements pour suivre ses amants ? Elle était morte d'une overdose quand il avait seize ans et, lorsque Byron l'avait trouvé et recueilli, Nathan vivait avec une actrice assez âgée pour être sa mère. Leur relation, disait-on, n'avait rien de platonique. Quelle était la part de vérité là-dedans ? Gemma l'ignorait. Nathan ne parlait jamais du passé, et les rares informations qu'elle avait pu glaner à ce sujet émanaient de tierces personnes.

Dieu seul savait ce que Nathan serait devenu sans Byron ! Quoi qu'il en fût, elle était tombée follement amoureuse de lui dès la seconde où elle avait posé les yeux sur lui. Il avait semblé également impressionné par sa fraîcheur, son inexpérience et sa naïveté, à l'opposé de sa propre sophistication. Gemma avait d'abord hésité à l'idée de céder à un homme déjà divorcé et plus âgé qu'elle, mais il lui avait été impossible de résister très longtemps à ce qu'elle ressentait. Ignorant les mises en garde, elle avait accepté de l'épouser. Nombre de personnes de l'entourage de Nathan lui avaient laissé entendre qu'il ne s'intéressait qu'au sexe, mais elle avait refusé de les écouter.

De fait, la sexualité avait joué un rôle important dans leur relation. Mais cela ne l'avait pas autant dérangée que la possessivité de Nathan à son égard ou sa tendance à la traiter comme une enfant. Son cynisme était une autre pomme de discorde entre eux, ainsi que son incapacité à communiquer avec une femme autrement que sur le plan physique.

Mais rien de cela, ne cessait-elle de se répéter, ne signifiait qu'il ne l'aimait pas. Le problème était qu'il ne savait pas exprimer son amour autrement. Gemma était persuadée qu'avec le temps Nathan parviendrait à s'ouvrir et à lui faire confiance, et qu'une réelle intimité se créerait entre eux.

Peu de femmes pardonneraient à leur mari de les avoir à tort accusées d'infidélité, mais Gemma était prête à le faire. N'était-elle pas la première à l'avoir injustement soupçonné ? Quant au fait qu'il lui avait fait l'amour sans ménagement — et surtout sans lui demander son avis — après l'avoir trouvée dans la chambre de Damian, elle le comprenait également. Fou de douleur, il s'était abandonné à la colère. Gemma savait qu'il se serait arrêté aussitôt si elle s'était débattue, mais elle avait été trop stupéfaite pour réagir. D'ailleurs, il ne s'agissait plus à ses yeux que d'un malencontreux incident, alors que Nathan, lui, était rongé par le remords.

Un enfant était-il en train de grandir en son sein, suite à cet épisode ? Elle l'ignorait, mais l'espérait secrètement. Car malgré les circonstances, quelle meilleure arme qu'un bébé pour récupérer son mari ? Nathan avait déjà épousé sa première femme, Lenore, parce qu'elle était enceinte. Pourquoi ne retournerait-il pas vers elle s'il s'avérait qu'elle portait son enfant — *a fortiori* s'il l'aimait ?

C'était pour cela qu'elle comptait bien le voir ce soir. Pour le séduire, peut-être même faire l'amour avec lui et augmenter ses chances de tomber enceinte. Cela lui permettrait aussi de prétendre, si besoin était, que l'enfant ne datait pas de ce pénible après-midi que Nathan ne parviendrait sans doute jamais à se pardonner. Gemma était d'ailleurs persuadée que c'était à cause de cela qu'il insistait pour divorcer.

— La photo n'est pas très flatteuse pour Lenore, n'est-ce pas ?

Gemma reporta son attention sur son programme et examina le portrait de celle qui, en sus d'être l'actrice principale de la pièce, était également l'ex-femme de Nathan.

Celeste avait raison. Le cliché n'était pas particulièrement flatteur et ne rendait pas justice à l'éclatante beauté de Lenore, grande rousse gracile aux yeux d'un vert profond qui faisait tourner bien des têtes. Gemma s'était toujours sentie gauche et mal fagotée en comparaison, malgré tous les compliments et les œillades masculines que lui valaient ses courbes voluptueuses. Ce complexe d'infériorité était sans doute la raison pour laquelle elle avait cru Nathan coupable d'une liaison avec son ex-femme, en rentrant inopinément et en surprenant une conversation pour le moins torride entre eux.

Si elle avait eu un peu plus confiance en l'amour de son mari, elle serait restée au lieu de s'enfuir, et aurait compris qu'ils ne faisaient que répéter un passage de la pièce à laquelle elle allait assister ce soir...

Tout n'était cependant pas noir dans les événements de cette dernière semaine. Gemma avait en effet découvert que Celeste et Byron étaient ses parents, et avait retrouvé sa famille perdue. Il ne lui manquait plus que son mari et son bonheur serait complet !

— Byron m'a dit que Lenore avait une liaison avec Zachary Marsden, chuchota Celeste. Apparemment, ils comptent se marier l'année prochaine. Elle ne représente donc aucun danger pour toi.

— Oui, je sais. Je l'ai compris un peu tard.

— Mieux vaut tard que jamais.

— C'est ce que tu ressens à l'idée d'épouser Byron ? s'enquit Gemma avec un sourire ému.

— Oui. Je dois avouer que je suis impatiente.

— A quand le grand jour ?

— Dès que possible. Ce sera quelque chose de très simple. Pas de grande robe blanche ni de frous-frous. Tout ce que je veux, c'est que Byron me glisse la bague au doigt.

— Et moi, je veux récupérer Nathan.

— Tu es bien sûre de toi ? demanda sa mère avec une inquiétude visible. Tu sais à quoi tu t'attaques ? Tu es encore très jeune pour être mariée...

— Tu avais dix-sept ans quand tu es tombée amoureuse de papa, non ?

— C'était différent.

— En quoi ?

— Chut ! les tança Byron. Le rideau va se lever.

— Détends-toi, dit Celeste en se retournant vers lui, et en lui tapotant le bras.

— Facile à dire. J'ai mis une fortune dans cette pièce.

— Ne t'inquiète pas. Si c'est un bide, je vendrai mon bateau et je te renflouerai.

— Ça pourrait bien arriver, oui !

— Silence ! lança quelqu'un derrière eux, comme les lumières s'éteignaient et que le rideau se levait enfin.

Il ne fallut pas longtemps pour que la salle tout entière se trouve captivée par le spectacle qui se déroulait sur scène. Gemma comprenait à présent pourquoi la pièce s'appelait *La Femme en noir*. Le mari de l'héroïne, incarnée par Lenore, venait juste de mourir. Son séduisant beau-fils arrivait aux funérailles et, à la tension évidente entre eux, on comprenait qu'ils avaient autrefois eu une liaison. Un fils en était né, que le défunt mari avait toujours cru sien, et qui devait hériter de sa fortune. A la fin de la première moitié de la pièce, la jeune veuve était sur le point de succomber de nouveau à son maléfique beau-fils. Il venait de pénétrer dans sa chambre et de l'attacher à son lit, et s'apprêtait à découper sa chemise de nuit avec des ciseaux, lorsque le rideau tomba brusquement pour l'entracte.

— Seigneur Dieu, murmura Celeste. Et c'est l'homme dont tu es amoureuse qui a écrit ça ?

— Ce n'est qu'une pièce, fit valoir Gemma, qui ne put s'empêcher de rougir légèrement.

— Quand même…

— C'est dans la poche ! exulta Byron. Regardez le public : complètement sous le choc. Je l'ai su dès que j'ai lu la pièce ! Lenore est brillante, non ? Et ce type qu'ils ont trouvé pour le héros ? Il est formidable !

— Je n'appelle pas ça un héros, fit remarquer Celeste.

— Tu sais ce que j'entends par là. Et je parie qu'il n'y a pas une femme dans la salle qui lui dirait non.

— Tu as peut-être raison, répondit Celeste, satisfaite de la lueur jalouse qui apparut instantanément dans le regard de Byron.

— Si c'est comme ça, gronda-t-il, je ne t'amènerai pas à la fête, tout à l'heure. Gemma pourra y aller toute seule.

— Ça m'étonnerait que ça la dérange..., murmura Celeste.

Elle pressentait, en effet, que leur fille préférait agir seule et discrètement. Byron était un homme aux principes parfois désuets, qui considérait qu'il n'appartenait pas à une femme de faire le premier pas. Il n'approuverait sans doute pas de voir sa fille provoquer ouvertement Nathan, puisque c'était apparemment ce qu'elle avait l'intention de faire, à en juger par sa tenue.

— Est-ce que vous voulez boire quelque chose ? proposa Byron.

— Du champagne, répondit-elle aussitôt. Pour fêter le succès de la pièce. Qu'est-ce que tu en dis, Gemma ?

— Je suppose que je devrais être ravie pour Nathan. Mais je n'arriverai jamais à aimer cette pièce. Elle est responsable de l'effondrement de mon mariage.

— Non. Le seul responsable, c'est Nathan. Il n'aurait pas dû refuser de te croire quand tu lui as dit que tu l'aimais.

Gemma fronça les sourcils, ébranlée par la justesse de cette remarque. Pourquoi Nathan avait-il rejeté son amour ? Pourquoi lui avait-il si longtemps caché l'identité de sa mère ? Un homme sincèrement amoureux agirait-il ainsi ?

Son esprit lui fournit mille explications, mais son cœur n'en accepta aucune et la panique commença de monter en elle. Peut-être que Nathan ne l'aimait pas, après tout. Peut-être que tout le monde avait raison à son sujet…

Pourtant, elle ne pouvait se permettre de songer à cela. Pas maintenant. Car s'il ne l'aimait pas…

Seigneur, elle préférait ne pas y penser…

— Tu n'es pas *obligée* d'aller à cette fête, dit doucement sa mère.

Gemma se tourna lentement vers elle. Même si elle n'avait qu'une infime chance de reconquérir son mari, il lui fallait la tenter.

— Si, il faut que j'y aille, déclara-t-elle calmement, avec ce regain d'assurance que provoque parfois le désespoir.

Celeste faillit protester, mais elle se rappela toutes les choses stupides qu'elle avait faites au nom de l'amour. Quelqu'un aurait-il pu la dissuader, à l'époque ? Elle en doutait fortement.

Elle resta donc silencieuse jusqu'au moment où Byron revint avec le champagne. La pièce reprit enfin, la seconde partie se révélant aussi passionnante et provocante que la première.

Puis, après un tonnerre d'applaudissements et de nombreux rappels, tous trois se mirent en route pour la fête.

2.

— Pourquoi n'as-tu pas organisé la soirée à Belleview ? demanda Celeste tandis qu'ils grimpaient la rampe d'un parking souterrain. Note que je ne m'en plains pas. Double Bay est bien plus proche que St Ives.

— Tu viens de répondre à ta propre question. La troupe a deux représentations, demain, et la plupart des gens vivent près d'ici. Quand Cliff a proposé de faire la soirée chez lui, j'ai sauté sur l'occasion.

— Qui est Cliff ?

— Un producteur américain qui veut acheter les droits de la pièce de Nathan. Il a adoré le scénario. C'est un malin, mais il s'imagine que tous les Australiens sont nés de la dernière pluie et ne connaissent rien au milieu du cinéma. Ce qui n'est pas loin d'être vrai…

— Ne lui laisse pas les droits pour moins de cinq millions. J'ai entendu dire que c'était ce que valait un bon scénario de nos jours.

— Cinq millions ? Tu es sûre que ce n'est pas excessif ?

— Pas le moins du monde. La pièce va faire un tabac, que ce soit sur scène ou à l'écran.

— Tu as raison ! Elle vaut bien cinq millions. Je vais en demander six !

— Voilà, tu tiens le bon bout.

Gemma, assise à l'arrière, écoutait en silence la conversation de ses parents. Cela lui permettait de ne pas songer à la soirée qui l'attendait, et à l'objectif qu'elle s'était fixé. Distraitement, elle se demanda quel genre de maison pouvait habiter un producteur de cinéma. Un appartement avec vue sur le port ? Peut-être même un duplex en dernier étage ?

Lorsque Byron tourna dans une rue tranquille de Double Bay et s'arrêta devant une immense demeure de stuc blanc de style méditerranéen, elle ouvrit tout grand les yeux. Elle n'aurait jamais imaginé qu'une maison pût faire passer Belleview pour modeste en comparaison, mais c'était bien le cas. Celle-ci était énorme, vautrée tel un gros gâteau au milieu d'un jardin luxuriant.

— S'il peut se payer un endroit comme ça, déclara Celeste, il peut acheter la pièce six millions !

Un garde les accueillit au portail, vérifia leurs identités et les laissa entrer. Ils remontèrent une allée à travers un fouillis de plantes tropicales et de statues pseudo-antiques, et parvinrent à un majestueux portique. Une vaste véranda courait le long de la bâtisse, décorée de jarres de céramique qui à elles seules devaient coûter une petite fortune.

— Si Ma voyait ça ! murmura Gemma tandis que Byron sonnait.

— Tu lui as parlé de moi ? s'enquit Celeste en entendant le nom de l'amie de sa fille, une vieille dame qui avait été sa voisine à Lightning Ridge.

— Je lui ai écrit hier soir. Elle va tomber des nues quand elle va apprendre que Byron est mon père. Je crois qu'il lui a toujours plu.

— Oh, vraiment ? Dans ce cas, je vais devoir mettre un terme à tous les voyages de mon bien-aimé à Lightning

Ridge, lança Celeste. Je ne veux pas prendre de risque. Tu sais ce qu'on dit : loin des yeux, loin du cœur.

— Ma doit avoir soixante-dix ans ! expliqua Gemma en riant. Je ne crois pas que tu devrais t'inquiéter.

— S'inquiéter de quoi ? intervint Byron, qui n'avait apparemment pas entendu le reste de leur conversation. Qu'est-ce qui t'inquiète, Gemma ? Je suis sûr que Nathan va changer d'avis. Laisse-lui un peu de temps, c'est tout.

A se voir ainsi rappeler les véritables raisons de sa présence, Gemma sentit sa nervosité revenir. Il lui fallut faire appel à tout son courage pour ne pas tourner les talons et prendre la fuite.

— Nous ne parlions pas de lui, répliqua Celeste. Tu as sonné ?

Comme en réponse à sa question, la porte s'ouvrit brusquement et un homme large comme une barrique, au teint rubicond et aux cheveux blancs, apparut sur le seuil. Il tenait un verre de whisky dans une main, un cigare dans l'autre.

— Byron ! s'exclama-t-il joyeusement. Je t'attendais ! Tout le monde est déjà là. Qu'est-ce qui t'a retenu ?

— Les journalistes.

— Ah ! J'en déduis qu'ils ont aimé la pièce ?

— Ils ont adoré.

— Le contraire m'aurait étonné ! tonna l'Américain. Si tu ne me vends pas les droits de ta pièce, je saute du pont qui traverse le port.

— Ce serait un peu excessif, repartit Byron en riant. Et je suis sûr que nous trouverons un arrangement. Si du moins tu sors six millions.

— Six millions ! Vieux requin ! Mais ne parlons pas de ça pour le moment. Je suis bien meilleur négociateur après quelques verres, et j'espère que ce sera le contraire pour toi ! Allons, entrez, mesdames. Soyez les bienvenues.

Tandis qu'il les introduisait dans un hall dallé de tomettes, il posa un regard appréciateur sur Celeste et Gemma.

— Eh bien, Byron, deux femmes ! Je ne te savais pas si gourmand.

— Une seule me suffit, Cliff, répondit l'intéressé avec un regard faussement horrifié. Laisse-moi te présenter ma fiancée, Celeste Campbell. Celeste, voici Cliff Overton.

Les deux se serrèrent la main et échangèrent quelques mots, puis le maître des lieux se tourna vers Gemma.

— Et qui est cette charmante jeune fille ? Je ne me rappelle pas vous avoir vue sur scène ce soir. Pourtant, vous ne pouvez qu'être actrice, jolie comme vous êtes. Je pourrais vous arranger une audition, si vous voulez...

— Bas les pattes, intervint Byron, entourant d'un bras protecteur les épaules de sa fille. Gemma ne veut pas être actrice.

— Gemma ? Quel nom de scène fantastique ! Je le vois déjà en grand...

Celeste et Gemma échangèrent un regard entendu, tandis que Byron éclatait de rire.

— Gemma est la femme de Nathan. Je doute qu'il apprécierait de voir son nom à l'écran.

L'Américain, à cette nouvelle, fronça aussitôt les sourcils.

— Vraiment ? Mais je croyais que Nathan était divorcé. Je veux dire, il... Enfin, peu importe, j'ai dû me tromper. Ravi de vous rencontrer, Gemma. Vous devez être très fière de votre mari. C'est une sacrée pièce qu'il a écrite. Je me demande s'il accepterait de venir à Hollywood réaliser le film. Qu'est-ce que tu en dis, Byron ?

— Il faudra lui poser la question directement. Il est déjà arrivé ?

De nouveau, leur hôte parut déconcerté.

— Euh… oui. Oui, il doit être quelque part.

— Allons le retrouver, alors.

Gemma sentit tous ses muscles se tétaniser. Soudain, elle ne voulait plus voir Nathan. Pas ici. Pas devant tout ce monde. Elle avait été stupide de venir.

Son courage l'abandonnait un peu plus à chaque pas, mais elle parvint à suivre les autres le long d'un couloir qui se terminait par une arche et donnait accès, quelques marches plus bas, à un immense salon rempli d'invités. L'atmosphère était constituée d'un mélange de fumée, de musique et de brouhaha de conversations.

La première personne que repéra Gemma fut Lenore, qui se tenait en compagnie de l'acteur principal au centre d'un cercle d'invités. Les gens buvaient du champagne et s'exprimaient avec excitation, les rires fusaient. Lorsque Lenore avisa à son tour Gemma, sa première réaction fut de froncer les sourcils avec inquiétude, puis de lancer un regard à l'autre bout de la pièce. Gemma fit de même, et crut que son cœur allait s'arrêter.

Nathan était assis dans un profond canapé de cuir. Et la blonde installée près de lui ne se comportait guère comme une connaissance platonique : elle était presque avachie sur lui, sans que Nathan fasse rien pour la repousser.

Gemma sentit sa bouche s'assécher en voyant son mari prendre son verre sur la table, puis le partager en riant avec sa compagne. Lorsqu'il effleura les cheveux de la blonde du bout des lèvres, elle crut même qu'elle allait être malade.

Soudain, il se tourna et l'aperçut, toujours debout sur les marches qui descendaient vers le salon. Mais son regard glissa sur elle comme s'il ne la connaissait pas et il se remit à parler à ses voisins, un bras autour des épaules de la blonde.

— Qui est cette fille avec Nathan ? demanda sèchement Celeste, dans le dos de Gemma.

— Une certaine Jody, gronda Byron. L'un des petits rôles de la pièce.

— J'espérais m'être trompé, maugréa Cliff. Apparemment, ce n'était pas le cas.

— Gemma, ma chérie, intervint Celeste en la prenant par les épaules. Je vais te raccompagner à la maison. Tu vois par toi-même que Nathan ne veut pas d'une réconciliation. Ne t'humilie pas à le supplier.

La stupeur passée, l'esprit de Gemma s'était remis en marche. Ce qu'elle voyait n'avait aucun sens. Nathan l'aimait. Que faisait-il avec cette inconnue ?

Sa première impulsion avait été de fuir. Mais c'était ce qu'elle avait déjà fait une fois, et le résultat avait été désastreux ! Elle n'avait pas l'intention de répéter la même erreur.

— Il… il faut que je lui parle.

— Pas ici, alors, rétorqua Celeste en désignant le salon rempli d'invités. Cliff, vous devez bien avoir un endroit où Gemma et Nathan pourront parler tranquillement ?

— Bien entendu.

Avec sollicitude, Cliff la guida de nouveau dans le couloir, jusqu'à une porte qui donnait accès à un plus petit salon faisant également office de bibliothèque. Malgré l'impression de confort que dégageait la pièce, Gemma ne pouvait se débarrasser d'une nausée insistante. Son esprit tentait de trouver mille explications à ce qu'elle avait vu, mais aucune ne tenait vraiment.

Ce fut heureusement seul que Nathan pénétra dans la pièce, vêtu d'un élégant costume noir. Apparemment, cette confrontation ne le troublait guère. Tout au plus paraissait-il un peu agacé d'avoir été dérangé.

— Tu voulais me voir, Gemma ? demanda-t-il avec une indifférence qui la stupéfia.

— Espèce de salaud ! lança aussitôt Celeste. Nous avons vu votre petit numéro avec cette garce.

Deux yeux gris acier se posèrent sur elle.

— Surveillez votre langage, Celeste. Jody n'a rien d'une garce. Je le sais, j'en connais plein. J'en ai d'ailleurs une en face de moi.

— Nathan ! hoqueta Gemma, outrée par sa grossièreté.

— Laisse, intervint Celeste. Je peux me défendre toute seule. A présent, écoutez-moi, espèce de malade. Pour une raison qui m'échappe, Gemma vous aime encore. Et elle croit que vous l'aimez. Ou du moins, elle le croyait jusqu'au charmant spectacle que vous venez de nous offrir. Pour ma part, j'aimerais que vous sortiez de sa vie pour ne plus jamais y reparaître.

— Maman..., gémit la jeune femme en se prenant la tête à deux mains.

— Je ne demande pas mieux, railla Nathan. Mais votre chère fille ne semble pas comprendre le message. Pourquoi l'avez-vous laissée venir ce soir ? Ça me dépasse. Je ne veux pas d'elle. Je veux divorcer. Il n'y a rien d'autre à dire.

— Justement, si ! explosa Gemma. Il y a beaucoup à dire. Et c'est à moi que tu dois parler, Nathan ! Ne fais pas comme si je n'étais pas là !

Il se tourna alors vers elle, très lentement, et la fureur qu'elle lut dans son regard faillit la faire reculer d'un pas.

— Je n'ai rien à te dire.

Gemma faillit s'effondrer, mais elle savait que, si elle quittait la pièce sans obtenir de réponse à quelques questions essentielles, le doute ne lui laisserait plus de répit.

— Moi, j'ai des choses à te dire, Nathan.

— Je t'écoute.

Gemma soupira, puis se tourna vers sa mère.

— Tu peux nous laisser en tête à tête ?

— Je n'aime pas ça, mais je suppose que je n'ai pas le choix. Si tu as besoin de moi, je ne serai pas loin.

Puis, après avoir adressé un regard lourd de sous-entendus à Nathan, elle quitta la pièce en fermant la porte derrière elle. Un silence pesant s'abattit sur le petit salon, et Gemma ne put s'empêcher de reculer pour s'éloigner de son mari.

— Inutile d'avoir peur, déclara-t-il sèchement. Je ne vais pas t'agresser de nouveau.

— C'est donc de ça qu'il est question ? Tu crois que je ne t'ai pas pardonné ? Je comprends parfaitement pourquoi tu as agi comme ça.

— Non, tu ne comprends pas. Je me moque du fait que tu me pardonnes ou non. Et peu importe, à présent, que tu aies couché ou non avec Damian Campbell.

— Mais je n'ai pas couché avec lui, je te le jure ! Oui, il s'est peut-être imaginé que les choses pourraient aller plus loin entre nous, mais il ne s'est rien passé. Et à présent qu'il a découvert qu'il était mon oncle, tu n'as plus rien à craindre de sa part.

Le rire noir que laissa échapper Nathan la fit frissonner.

— Comme si un détail aussi trivial qu'un inceste pouvait l'arrêter. Bon sang, tu n'as pas changé, n'est-ce pas ? Je pensais que ton séjour chez les Campbell t'aurait rendue plus dégourdie.

Gemma ferma les yeux et exhala un long soupir avant de les rouvrir enfin.

— Tu es toujours prêt à croire le pire. Les gens ne sont pas aussi mauvais que ça, tu sais.

Il se mit de nouveau à rire et, quand il s'approcha d'elle, Gemma se sentit envahie d'un étrange mélange de désir et d'appréhension. D'un doigt, il lui souleva le menton.

— Si c'est le cas, ce n'est qu'une question de temps ou d'opportunité. Même les plus vertueux peuvent être corrompus, avec les armes adéquates. Regarde Byron. Il n'attendait que Celeste pour jeter sa morale et ses principes aux orties. Pour certaines personnes, c'est le sexe. Pour d'autres, c'est l'argent ou le pouvoir. Les plus purs peuvent être pervertis s'ils tombent entre les mauvaises mains.

Même si Gemma était choquée par la violence des propos de Nathan, son malaise passait désormais au second plan. Comment ne pas être troublée par sa présence si proche, par le contact de son doigt qui traçait désormais des lignes sensuelles sur ses lèvres ? Les yeux gris de Nathan plongèrent dans les siens, et elle se trouva incapable de détourner le regard.

— J'aurais pu te corrompre si je l'avais voulu, ajouta-t-il d'une voix rauque.

Puis il parut remarquer pour la première fois son décolleté, qui se soulevait au rythme de sa respiration saccadée.

— A moins que ce ne soit déjà fait, murmura-t-il.

Ses mains glissèrent sous le tissu et enveloppèrent ses seins nus. Sa robe coula le long de ses bras et descendit jusqu'à sa taille, mais Gemma ne songea pas à protester.

— Pour quelle autre raison te serais-tu habillée comme ça ce soir ? Si ce n'est pour me faire savoir que tu étais disponible, que tu voulais que je te touche, peut-être même davantage encore…

— Si… si c'est le cas, bredouilla-t-elle d'une voix déjà affaiblie par le désir, c'est parce que je t'aime. Et parce que je sais que tu m'aimes.

Ses propos parurent dérouter Nathan, mais une colère noire succéda à la surprise sur son beau visage.

— Dans ce cas, tu n'es qu'une idiote ! gronda-t-il en lui remontant sa robe d'un coup sec. Et moi qui croyais que tu avais mûri, que tu avais appris à appeler un chat un chat. Ce que nous éprouvons l'un pour l'autre, c'est du désir. D-E-S-I-R. Seule une gamine pleine de rêves romantiques sirupeux appellerait ça de l'amour. Maintenant, sors d'ici avant que je fasse quelque chose que nous regretterons tous les deux.

Abasourdie, Gemma se contenta de le fixer sans rien dire.

— Tu ne m'as pas entendu, petite imbécile ? Sors d'ici ! Et rembarque ta naïveté ! Je n'ai plus la patience de la supporter ! Je n'aurais jamais dû t'épouser, et rien de ce que tu pourras dire ne m'empêchera de divorcer.

Comme dans un cauchemar, Gemma se traîna jusqu'à la porte, avec l'impression que ses jambes étaient lestées de plomb. Elle agrippa farouchement la poignée, mais ne la tourna pas. Au lieu de cela, elle prit quelques inspirations profondes et, lorsqu'elle se sentit de nouveau maîtresse d'elle-même, pivota.

— Dis-moi juste une chose avant que je parte.

— Quoi ?

— Si tu ne m'as jamais aimée, et si tu ne me croyais pas amoureuse, pourquoi m'avoir épousée ? Ce n'était pas la condition nécessaire pour coucher avec moi.

Le rire sardonique de son mari ajouta encore à sa confusion et à sa peine.

— C'est vrai. Mais tu étais tellement merveilleuse que j'ai cru que je ne me lasserais jamais de t'avoir dans mon lit. J'étais même prêt à te faire un enfant pour être sûr de te garder. C'est vrai, tu m'as tourné la tête. Et j'étais encore sous ton emprise quand je t'ai trouvée dans la chambre de Damian. C'est pour ça que j'ai réagi aussi pitoyablement.

— Mais je n'ai pas couché avec lui ! Combien de fois devrai-je te le répéter !

— Comme je te l'ai déjà dit, je me moque que tu aies couché avec lui ou non. Le désir insensé que j'éprouvais pour toi a miraculeusement disparu, à ce moment-là. D'ailleurs, tu as vu comment je me soigne... Elle a trente-trois ans, et elle est très, très imaginative.

Gemma secoua la tête, groggy comme un boxeur, en proie à la confusion la plus totale.

— Je ne t'ai jamais vraiment connu, n'est-ce pas ? C'est Damian qui avait raison sur ton compte. J'aurais dû le croire.

— Pourquoi ne l'as-tu pas fait ? ricana Nathan.

— Parce que je m'imaginais stupidement que tu m'aimais ! Je croyais en toi, en notre couple !

— Tu as raison, c'était stupide.

— Ce qu'on dit est donc vrai... Tu n'as aucun respect pour les femmes. Tu es comme le héros de ta pièce. Le sexe, c'est tout ce qui compte à tes yeux. Tu as probablement couché avec Irene, comme Damian me l'a dit.

— Un jour, ce crétin aura ce qu'il mérite, répondit Nathan avec un sourire mauvais.

— Je suppose que tu vas l'accuser d'avoir également menti à ce sujet ?

— Si le fait d'avouer avoir couché avec Irene peut me débarrasser de toi, je suis prêt à le faire.

Gemma ne put que cligner des yeux sous le coup de la stupeur, et il eut un mouvement d'irritation.

— Bien sûr que non, je n'ai pas couché avec cette garce pathétique ! Reconnais-moi au moins un certain goût ! Mais j'imagine que tu ne me croiras pas. Parce que ça voudrait dire accepter l'idée que ton cher oncle ait pu te mentir.

— A moins que... qu'Irene ne lui ait menti ?

— Bravo, ironisa Nathan. Brillante déduction. Il faut parfois savoir regarder un problème sous un autre angle pour en découvrir la clé.

— C'est exactement ce que j'essaie de faire avec toi, répondit farouchement Gemma. Est-ce que par hasard tu ne me repousserais pas parce que tu t'imagines que c'est pour mon bien ?

Nathan, à ces mots, partit d'un rire sarcastique mais non dénué d'humour.

— Que de nobles sentiments tu me prêtes ! J'aimerais pouvoir te dire que c'est le cas, mais je mentirais.

Il avança soudain vers elle, le regard brillant d'un éclat inquiétant, et Gemma s'aplatit instinctivement contre le mur.

— Ne me touche pas..., murmura-t-elle.

— Comment ? dit son mari, levant un sourcil sardonique. Il y a quelques minutes à peine, tu mourais d'envie que je te touche. Qu'est-ce qui se passe ? Tu commences à douter de moi ? Tu as peur que je ne me change de nouveau en bête, comme l'autre jour ?

— Je n'ai pas peur de toi, Nathan, mentit-elle.

— Tu devrais, tu devrais. Parce que si tu restes ici, je pourrais bien décider de te corrompre, juste pour le plaisir.

Gemma le fixa, terrifiée par cet homme qui, après avoir été son mari, lui semblait soudain un parfait étranger.

— Trop tard, ironisa-t-il. Je retire mon offre. Et puis, je viens de me rappeler que j'ai promis à Jody de lui consacrer cette nuit. Je ne voudrais pas gaspiller mon énergie avec toi.

A ces mots, Gemma perdit toute contenance. Elle le gifla si violemment qu'une marque rouge apparut sur sa peau, mais il ne fit pas mine de répondre à cette agression et se contenta de sourire.

— Tu te sens mieux, maintenant ?

— Je te déteste, Nathan Whitmore ! J'étais venue à cette fête dans l'espoir que nous pourrions nous réconcilier. J'étais prête à te pardonner, parce que j'ai cru que je t'aimais. Mais je me suis trompée. Il est impossible d'aimer quelqu'un comme toi. Tu ne le mérites pas !

— Ravi de l'entendre. Parce que je ne veux pas de ton amour.

Il paraissait sincère, et Gemma posa sur lui un regard douloureux. Seigneur, qu'allait-elle devenir sans son mari, sans ses rêves ? A quoi bon continuer ?

— Qu'est-ce que tu fais encore ici, plantée comme une potiche ? Tu es libre de t'en aller, Gemma. Considère-toi comme débarrassée de toute obligation envers moi. Tu as de la chance, non ? Allez, laisse-moi tranquille, maintenant.

Sans savoir comment, Gemma parvint à quitter la pièce et à retrouver sa mère. Un seul regard suffit à Celeste pour comprendre ce qui s'était passé, et elle appela aussitôt Byron pour qu'il les reconduise à la maison.

3.

La vie continua.

Pourtant, Gemma n'aurait pas cru la chose possible après son entrevue avec Nathan. Elle s'était imaginé qu'elle succomberait à la douleur qui la dévorait, qui consumait chaque fibre de son être. Son mari ne l'aimait pas. Il ne l'avait jamais aimée. Tous ses rêves d'avenir étaient désormais réduits en cendres. Quant au passé, il lui apparaissait presque aussi déprimant. Son mariage n'avait été qu'une immense mascarade vouée à l'échec depuis le début. Pourquoi n'avait-elle pas prêté attention aux signes de dysfonctionnement de son couple ? Ecouté les avertissements du clan des Whitmore ?

Parce qu'elle n'était qu'une petite imbécile, selon les propres mots de Nathan. Et il avait raison !

Seule la colère lui permit de survivre au lendemain, puis aux jours suivants. Elle fondit en larmes à plusieurs reprises et traversa de longues heures de déprime, mais une amertume croissante l'empêcha de s'effondrer totalement.

Quand elle s'éveilla le dimanche matin, et apprit que Nathan était passé dans la nuit pour déposer sa voiture et ses affaires, puis qu'il était reparti sans voir quiconque, sa fureur ne connut plus de bornes. Qu'était-il advenu de l'homme dont elle était tombée amoureuse ? D'où venait cet étranger glacial et pervers ? Etait-ce sa véritable personnalité ? Oui, c'était la seule explication possible.

Pourtant, elle n'était pas la seule à s'être laissé prendre au piège. Byron en avait également été victime, tout comme Lenore. Seules Ava et Melanie avaient clairement affiché leur scepticisme. Jade, elle, s'était d'abord méfiée de Nathan avant d'opérer un revirement à cent quatre-vingts degrés et de croire en la sincérité de son amour pour Gemma presque autant que celle-ci.

Les masques, en tout cas, avaient fini par tomber. Le côté sombre de Nathan avait refait surface, et c'était avec un plaisir évident qu'il détruisait à présent ce qu'elle avait cru construire.

Gemma se refusa donc à pleurer sur les ruines de ce pitoyable château de cartes qu'avait été leur vie commune, et qui gisait à présent à ses pieds. Nathan ne le méritait pas.

Le lundi venu, elle serra donc les dents et alla au travail comme si de rien n'était.

Dès l'instant où elle entra dans la boutique, elle comprit que la nouvelle de leur séparation devait être connue, car toutes les autres vendeuses se montrèrent gentilles et prévenantes à son égard. La chose était nouvelle, ses collègues de travail l'ayant toujours considérée avec une pointe de jalousie. Outre ses compétences en japonais, qui en faisaient une interlocutrice privilégiée des clients, elle avait en effet été nommée à ce poste par le grand patron lui-même, et l'accusation de népotisme, jamais formulée, était comme un soupçon qui venait entacher ses relations avec l'équipe. Gemma aurait d'ailleurs sans doute fini par vaincre la méfiance des autres employées si Nathan ne l'avait pas empêchée de fraterniser avec elles, et tenue à l'écart des soirées du personnel.

Elle fut donc doublement touchée de la sollicitude qu'on lui manifesta, et il lui fallut faire appel à toute sa volonté pour ne pas fondre en larmes à plusieurs reprises. Lorsque l'heure du déjeuner arriva, ce fut avec soulagement qu'elle s'éclipsa enfin.

Elle traversait la réception de l'hôtel et se dirigeait vers la sortie, les yeux rivés sur le dallage noir et blanc, lorsqu'une voix masculine résonna juste derrière elle :

— Bonjour, mademoiselle.

Gemma tressaillit violemment et se retourna, avant de pousser un soupir de soulagement.

— Damian ! Tu es fou de faire ça.

— Je n'ai pas le choix. Tu ne réponds pas au téléphone.

— Désolée, marmonna-t-elle en rosissant. Je voulais te rappeler, mais j'ai oublié. Le... le week-end a été un peu difficile.

— J'imagine, oui. Celeste m'a expliqué ce qui s'était passé vendredi soir. C'est pour ça que j'ai été étonné, en appelant ce matin, d'apprendre d'Ava que tu étais allée travailler.

— Ça me paraissait la meilleure chose à faire.

— Je suis tout à fait d'accord. Et ravi de constater que tu ne perds pas de temps à te lamenter sur ton sort. La vie est trop courte pour être gâchée par des salauds de la trempe de Nathan Whitmore.

La première impulsion de Gemma, déroutante, fut de lui crier qu'il n'avait aucun droit de juger Nathan, qu'il ne le connaissait pas. Puis les événements du vendredi soir lui revinrent à l'esprit, en une fraction de seconde, avec une violence vertigineuse.

— Je préférerais ne pas parler de lui, si ça ne te dérange pas, dit-elle d'une voix blanche.

— Tes désirs sont des ordres, répondit Damian en la prenant par le bras. Où veux-tu aller déjeuner ?

Malgré elle, Gemma sourit.

— Je ne savais pas que nous déjeunions ensemble.

— Tu ne veux pas faire plaisir à ton pauvre vieil oncle ?

Elle se mit à rire de cette description qu'il faisait de lui-même. Damian, en effet, n'avait que vingt-neuf ans. Il était également l'incarnation du bourreau des cœurs. Il plaisait follement aux femmes et le savait.

— D'accord. Mais à la condition que nous ne parlions pas de Nathan. Ni de Byron et Celeste.

— Eh ! Pour qui me prends-tu ? Pour un monstre insensible ? Tout ce que je veux, c'est déjeuner avec ma ravissante nièce, à laquelle les cheveux remontés vont très bien, soit dit en passant. J'espère que tu les porteras comme ça vendredi soir.

— Vendredi soir ? Qu'est-ce qui se passe vendredi soir ?

— Une soirée. On va bien s'amuser. Beaucoup de mes amis y vont. Je pensais que ça te ferait du bien de sortir un peu et de rencontrer de nouvelles têtes. Qu'est-ce que tu en dis ?

La proposition paraissait innocente, mais Gemma ne put s'empêcher d'hésiter tandis qu'une nouvelle fois les avertissements de Nathan lui revenaient à l'esprit. Mais elle les chassa aussitôt. La sagesse commandait sans doute de faire le contraire de ce que son mari lui conseillait !

— Je… je ne sais pas.

— Aucun problème. Tu n'es pas obligée de te décider maintenant ni même de te forcer à venir. Mais si tu te sens d'humeur à sortir, vendredi soir, passe-moi un coup de fil. Et maintenant, conclut-il avec un grand sourire, allons manger avant que je ne tombe d'inanition.

Le vendredi soir arrivait, et Gemma jugea qu'elle avait besoin de se changer les idées. Si son travail l'occupait en effet suffisamment dans la journée, les soirées lui semblaient très longues. Belleview n'était pas une ruche bourdonnante d'activité, d'autant plus que Byron et Celeste passaient beaucoup de temps dehors. Ava, pour sa part, était souvent enfermée dans son atelier pour peindre, quand elle ne disparaissait pas en compagnie de Vince. Et Gemma ne se sentait pas le cœur de gâcher le bonheur de ces deux couples qui, chacun à leur façon, avaient tant de choses à rattraper.

Elle prétendit donc qu'elle ne voyait aucune objection à passer ses soirées seule, et qu'elle préférait regarder la télévision après ses longues journées passées à la boutique. Mais son abattement, avec le temps, ne faisait que croître. Aussi, lorsque Damian l'appela le jeudi soir, n'eut-il pas beaucoup d'efforts à faire pour la persuader de l'accompagner le lendemain...

Damian raccrocha, sans même chercher à cacher sa satisfaction. Personne n'était là pour le voir, de toute façon. Cette chère Celeste venait en effet de sortir avec Byron, et Cora était occupée à faire la vaisselle dans la cuisine.

— Enfin..., murmura-t-il, tandis que son esprit s'évadait déjà vers la soirée du lendemain.

La douce et innocente Gemma ne lui opposerait aucune résistance après quelques verres qu'il aurait assaisonnés à sa façon. Avec les drogues adéquates, il était sûr de pouvoir la posséder comme bon lui semblerait.

Il tremblait presque d'excitation à l'idée de l'avoir enfin en son pouvoir. Il avait attendu ce moment pendant des mois ! Aucune femme ne l'avait jamais troublé à ce point. Dès l'instant où il avait posé les yeux sur elle, il l'avait désirée.

Et le fait qu'elle était sa nièce ne changeait rien à l'affaire. Cela ajoutait même du piment à la situation…

A pas lents, Damian regagna l'étage, répétant soigneusement ce qu'il aurait à faire. Il lui faudrait se montrer prudent. Offrir à Gemma tout ce dont elle avait besoin. Du réconfort, de la compassion…

Et plus tard, lorsqu'elle serait enfin abrutie par les drogues et le plaisir qu'il lui procurerait, il l'initierait à des plaisirs plus raffinés. C'était étonnant, le degré de douleur qu'une femme pouvait supporter, et même désirer, sous l'emprise de paradis artificiels.

Bien sûr, à ce stade, il lui faudrait tout filmer. Sans quoi, Gemma pourrait être tentée d'aller tout raconter à son réveil.

Damian sourit, ravi. Peut-être même pourrait-il lui soutirer un peu d'argent. Ce ne serait certes pas la première fois. Il était stupéfiant de voir les sommes que les femmes qu'il piégeait étaient prêtes à payer pour qu'il ne raconte pas tout à leur mari. Et il était ironique que cette idée lui vînt de Nathan lui-même, qui l'avait expérimentée le premier. Pauvre Irene… Ce n'était que justice que la propre femme de Nathan en fût à son tour victime.

Encore que, pour tout avouer, la justice, il s'en moquait. Une seule chose intéressait Damian.

Le plaisir. Le plaisir sans tabous.

Il avait décidément hâte d'être au lendemain soir…

Byron ne rentra pas pour dîner le vendredi soir. Il était passé prendre Celeste à son travail pour l'emmener au cinéma, puis au restaurant. Ava et Vince étaient quant à eux sortis dîner chez les Morelli, ce qui signifiait que Gemma serait seule lorsque Damian viendrait la chercher, vers 9 heures.

Elle n'avait parlé à personne de cette soirée, et était soulagée de ne pas avoir à le faire. Elle était sûre qu'elle n'aurait récolté que froncements de sourcils et remarques réprobatrices. Tous les Whitmore avaient une mauvaise opinion de Damian, mais elle-même n'avait jamais rien constaté qui pût étayer le dénigrement systématique dont il faisait l'objet. Celeste avait d'ailleurs été victime du même ostracisme, avec le résultat que l'on savait. Damian était probablement tout aussi innocent que sa sœur des innombrables crimes et vices dont on l'accusait. Nathan lui-même, qui s'était révélé son plus farouche ennemi, n'avait plus de leçons à donner à quiconque après ce qui s'était passé.

Gemma regrettait pourtant de ne pas avoir prévenu qu'elle sortait. Si Ava rentrait avant elle, elle ne manquerait pas, en effet, de s'inquiéter. Elle décida donc de laisser une note sur son oreiller disant qu'elle était invitée chez une collègue de travail. Puis, ce problème réglé, elle s'accorda un long bain relaxant. Elle se mit ensuite à fouiller dans sa garde-robe, et opta pour une jupe en peau rouge-brun et une chemise de soie crème. Ces couleurs s'accordaient à merveille aux mèches que le coiffeur lui faisait régulièrement. Se rappelant ce que Damian lui avait dit quelques jours plus tôt, elle releva ses cheveux en un chignon lâche et laissa retomber quelques mèches folles devant ses yeux. Elle compléta l'ensemble d'un collier et d'anneaux en or, d'un peu de maquillage et d'une touche de parfum.

Elle était prête à partir et déjà légèrement nerveuse lorsque Damian s'arrêta devant la maison, peu avant 9 heures. En la voyant sortir, il émit un sifflement admiratif qui ne fit qu'ajouter à sa tension.

— Tu es superbe. Il va falloir que je me batte pour chasser les importuns.

Comme elle fronçait les sourcils, prise d'une soudaine appréhension, son compagnon la rassura d'un sourire.

— Ne t'en fais pas. Si nous ne disons à personne que je suis ton oncle, personne n'approchera.

Gemma n'était pas très sûre d'apprécier de passer pour la petite amie de Damian. Pourtant, il avait raison. C'était encore le meilleur moyen d'éviter les indélicats. Car l'idée de danser avec de parfaits étrangers la révulsait brusquement. Pourquoi donc avait-elle accepté de venir ? Tout cela était ridicule. Elle n'était pas prête à sortir de nouveau…

— Même si je disais à tout le monde que j'étais ton oncle, reprit Damian avec une lueur amusée dans le regard, personne ne me croirait.

C'était sans doute vrai. Damian paraissait bien plus jeune que ses vingt-neuf ans, surtout vêtu de noir comme il l'était ce soir. Absolument tout ce qu'il portait était d'ailleurs de cette couleur, de ses vêtements à ses chaussures, de l'anneau d'ébène passé à son doigt au cadran de sa montre. Au moins ne susciteraient-ils pas les regards curieux, comme lorsqu'elle était avec Nathan qui, lui, paraissait plus âgé qu'elle.

Mais pourquoi pensait-elle encore à lui ? se demanda-t-elle brusquement. Pourquoi ne pouvait-elle suivre son exemple et l'oublier ?

Tu sais pourquoi, répondit une voix sarcastique en elle. Et, instinctivement, elle plaça une main sur son ventre. Que se passerait-il si elle était enceinte ? Elle priait désormais pour que ce ne fût pas le cas. Elle n'aspirait plus qu'à tirer un trait sur Nathan et à reprendre une vie normale.

— Tout va bien ? demanda Damian avec tant de douceur qu'elle se sentit prise d'une vive culpabilité.

— Oui, très bien. Et tu as raison. Nous faisons sans doute un couple très crédible.

Il sourit, et Gemma ne douta pas que beaucoup de femmes se damnaient pour ce sourire. Mais pas elle. Ce qui rendait la jalousie de Nathan d'autant plus stupide. Seigneur, quel gâchis…

Une intense amertume l'envahit lorsqu'elle songea à ce que la jalousie maladive de son mari lui avait valu comme souffrance. Elle regrettait presque, par un étrange mécanisme de défense, de ne pas avoir eu de liaison avec Damian pour justifier le traitement dont elle avait été victime. Rien n'était pire que d'être accusée d'un crime que l'on n'avait pas commis, et d'être punie pour ce que l'on n'avait pas fait.

— Arrête de penser à ce minable, déclara brusquement Damian, coupant court à ses idées noires. Allons-y.

Puis il la prit par la main et l'entraîna presque en courant jusqu'à sa Ferrari. Ils démarrèrent avant qu'elle ait eu le temps de dire « ouf ».

— Attends ! s'écria-t-elle brusquement comme Damian s'apprêtait à accélérer, après avoir franchi le portail.

Il écrasa la pédale de frein, et lui jeta un regard irrité.

— Il faut que je ferme, expliqua-t-elle en agitant la télécommande qu'elle venait de sortir de son sac.

— Ah bon, dit son compagnon avec un soupir de soulagement. L'espace d'un instant, j'ai cru que tu avais changé d'avis.

Décidée à chasser Nathan de son esprit, elle sourit.

— Hors de question. Où a lieu cette soirée ?

— Dans un pub au nord de Sydney. Tu ne le connais sûrement pas. Il est au bout d'une petite rue. Ce n'est pas un établissement que je qualifierais d'élégant, mais la musique est bonne et les boissons raisonnables.

— Je ne pensais pas que tu te souciais du prix des boissons.

— Il n'y a pas de petites économies, déclara Damian en redémarrant. Tu peux m'allumer une cigarette ? Elles sont dans la boîte à gants, et mon briquet est dans la poche droite de mon pantalon. Il faut que je me concentre sur la circulation.

De fait, le trafic sur la Pacific Highway était extrêmement chargé. A croire que tout le pays se rendait à Sydney. Malgré cela, Gemma rechignait à faire quelque chose d'aussi intime que de fouiller la poche du pantalon de Damian. Elle réussit cependant à trouver le briquet rapidement, et lui glissa bientôt une cigarette allumée entre les lèvres. Leurs regards se croisèrent un instant, et Gemma détourna presque aussitôt la tête. Car il n'y avait rien de platonique dans l'expression qu'elle venait de lire sur le visage de Damian. A moins qu'elle n'eût tout imaginé du fait de sa nervosité. Après tout, Damian s'était toujours comporté en parfait gentleman. Animée d'une résolution nouvelle, elle se tourna vers son compagnon et lui sourit.

— C'est vraiment très gentil de me sortir ce soir. J'en avais besoin.

— Je sais, je sais, répondit-il doucement. Fais confiance à ton vieil oncle Damian. Il sait exactement ce qu'il te faut...

4.

En temps normal, Luke n'aurait jamais accepté de mettre les pieds dans un tel établissement. A trente ans, il s'estimait trop vieux pour fréquenter ce genre d'endroit. Il n'était plus un étudiant avide de s'amuser à tout prix, mais un cadre dirigeant de Campbell Jewels.

Non, s'il était là ce soir, c'était uniquement pour faire plaisir à sa mère. Apparemment, sa sœur Mandy venait ici tous les vendredis, et leur mère lui avait demandé de vérifier de quel genre de bar il s'agissait. Luke avait commencé par refuser, estimant qu'à vingt ans sa sœur était raisonnable et responsable de ses faits et gestes. Mais il avait fini par se laisser convaincre.

Debout dans un coin, il embrassa la pièce du regard et secoua la tête. La musique était assez forte pour provoquer une migraine instantanée, et une centaine de personnes en sueur se pressaient dans un endroit apparemment conçu pour moitié moins, sous les flashes criards de projecteurs hypnotiques.

Il n'était pas assez vieux pour ne pas comprendre ce qui attirait Mandy dans un endroit pareil. Néanmoins, il s'inquiétait du fait que la drogue circulait aussi ouvertement. Certains avalaient des pilules, d'autres tiraient sur des joints, et il avait vu quelques paquets d'allure suspecte passer de main en main. Peut-être Mandy n'était-elle pas aussi raisonnable qu'il le croyait, après tout.

Luke resta donc dans son coin et attendit, espérant que sa sœur allait arriver. Mais après une bonne demi-heure, elle n'était nulle part en vue dans la salle emplie de fumée. Il s'apprêtait à renoncer et à sortir lorsqu'un homme entièrement vêtu de noir, aux cheveux lissés en arrière et au sourire éclatant, retint son attention.

Luke n'était guère surpris de voir Damian Campbell fréquenter un tel endroit. On disait qu'il aimait vivre à cent à l'heure, sans s'encombrer de scrupules. Il aimait les belles femmes, ajoutait-on, et peu lui importait qu'elles fussent mariées.

Celle qui l'accompagnait était de fait très belle, et définitivement mariée. Il s'agissait en effet de Gemma Whitmore. Il avait vu sa photo dans le journal la semaine précédente, illustrant un article sur la pièce écrite et dirigée par son mari, Nathan.

Luke n'était pas idiot. Il avait déduit de diverses allées et venues subreptices et de coups de fil plus ou moins discrets qu'une réconciliation était en cours entre les Campbell et les Whitmore, et plus précisément entre Byron et Celeste. Mais il doutait que cette trêve justifiât les attentions pour le moins pressantes de Damian à l'égard de Gemma. Car ce dernier, sous prétexte de danser avec elle, la touchait dès qu'il le pouvait. Ses mains reposaient en cet instant sans vergogne sur ses fesses, et il l'avait plaquée aussi étroitement que possible contre lui.

La jeune femme se dégagea soudain violemment, et tituba. Son visage reflétait la confusion la plus totale, et Luke ne tarda pas à comprendre qu'elle était sous l'influence d'une drogue quelconque. L'alcool seul ne pouvait expliquer une telle hébétude. Il décida de se rapprocher pour essayer de comprendre ce qui se passait.

— Je… je n'aime pas beaucoup cet endroit, Damian, disait-elle d'une voix pâteuse. Et j'ai chaud. Je me sens toute drôle. Tu ferais bien de me ramener…

— Je vais d'abord te chercher quelque chose de frais, proposa son compagnon. Attends-moi ici.

Il la cala contre un mur, puis s'éloigna. Luke ne savait que faire. Il n'avait pas la moindre intention de se mêler des affaires de Damian Campbell, surtout dans la mesure où il venait d'être nommé directeur du marketing de Campbell Jewels à la place de ce dernier. Mais l'attitude de Gemma l'inquiétait. Elle ne semblait pas comprendre ce qui se passait, comme si elle n'avait pas pris de drogue intentionnellement.

Mû par un brusque soupçon, Luke suivit Damian à distance et le vit glisser un peu de poudre dans un jus d'orange, puis mélanger le tout en regardant prudemment autour de lui. Ce salaud était bel et bien en train de la droguer contre son gré !

Pour autant, tout cela ne le regardait pas davantage…

Pendant dix bonnes minutes, Luke débattit avec sa conscience. Cette dernière finit par l'emporter et, avec un soupir résigné, il partit chercher les ennuis. Malheureusement, ni Damian ni Gemma n'étaient nulle part en vue.

Avec un juron, Luke se précipita à l'extérieur et ne tarda pas à les repérer. Damian venait d'appuyer sa compagne contre une voiture et l'embrassait. Les bras de Gemma pendaient mollement à ses côtés.

Une brusque colère enfla en lui et, sans réfléchir aux conséquences de ses actes, Luke se rua vers eux, agrippa Damian par l'épaule et lui décocha une droite foudroyante. L'autre s'effondra comme une masse sur le goudron luisant d'humidité, inconscient. Avec un peu de chance, il n'avait même pas vu qui l'avait frappé.

— Eh ! appela quelqu'un un peu plus loin. Qu'est-ce qui se passe ?

Mais Luke n'avait aucune intention de rester là et de s'expliquer. Il souleva Gemma, qui avait glissé en position assise et fixait le vide d'un air hébété, puis la porta jusqu'à sa propre voiture. Après l'avoir installée sur le siège passager, il démarra en trombe avant que quiconque pût l'arrêter. Dans son rétroviseur, il vit Damian qui commençait à se redresser et accéléra. Ce ne fut qu'après avoir roulé pendant cinq minutes, et s'être assuré qu'il n'était pas suivi, qu'il s'arrêta le long du trottoir pour essayer d'évaluer la situation. Gemma Whitmore était affalée dans son siège, les yeux clos, et gémissait légèrement. Bon sang, que lui avait donc donné cette ordure ?

Il n'avait guère d'autre choix, décida-t-il après quelques instants, que de la ramener à son mari. Il était 11 h 25, mais peut-être Nathan n'était-il pas couché. Le tout était de trouver son numéro de téléphone, car son épouse ne semblait pas en mesure de le lui fournir. Diable, cela devenait compliqué. Luke regrettait presque d'être intervenu lorsqu'un coup d'œil au délicat visage de Gemma acheva de le convaincre qu'il avait bien fait. Comment aurait-il pu la laisser à la merci de ce porc ?

Non loin de là, il repéra une cabine téléphonique. La chance était avec lui, car il trouva le numéro de Nathan dans l'annuaire. On décrocha presque aussitôt, et Luke fit de sa voix la plus neutre :

— Monsieur Whitmore ?

— Lui-même.

— Luke Barton à l'appareil. Désolé de vous déranger à cette heure-ci, mais c'est une urgence.

— Est-ce que je vous connais, monsieur Barton ? dit son interlocuteur d'une voix où perçait de la lassitude.

— Pas personnellement. Mais vous avez peut-être entendu parler de moi. Je suis directeur du marketing de Campbell Jewels.

— Dans ce cas, êtes-vous sûr de ne pas vous tromper de numéro ? Les affaires de Campbell Jewels ne regardent pas les Whitmore. Encore que vous pourriez vous adresser à mon père, ajouta Nathan d'un ton narquois.

— Ça n'a rien à voir avec les affaires. C'est au sujet de votre femme.

Au bout du fil, Luke l'entendit prendre une brusque inspiration.

— Ma femme ? Que se passe-t-il ?

— C'est-à-dire que… c'est un peu gênant.

— Vous commencez à m'inquiéter, monsieur Barton. Quelque chose est arrivé à Gemma ? Elle va bien ?

— Maintenant, oui.

— Comment ça, maintenant ?

— Laissez-moi vous expliquer. En début de soirée, je me suis rendu dans un pub au nord de Sydney dans l'espoir d'y trouver ma sœur. Là-bas, j'ai remarqué Damian Campbell. Il dansait avec votre femme.

Nathan lâcha une remarque pour le moins insultante sur Damian, et Luke reprit :

— Je suis tout à fait d'accord avec vous. C'est pourquoi je l'ai tenu à l'œil. J'ai vite compris qu'il était en train de droguer votre épouse, et qu'elle ne se rendait compte de rien.

— Où est-elle ? Encore là-bas ?

— Ne vous en faites pas. Quand j'ai vu ce qui se passait, j'ai pris sur moi de… soustraire votre femme à ce salaud. Elle est dans ma voiture en ce moment. Elle s'est… euh, endormie.

Un silence lourd d'émotion s'ensuivit, et Luke reprit :

— Si vous voulez bien me donner votre adresse, je vais vous la ramener.

— Vous êtes sûr qu'elle va bien ? Elle n'a pas besoin d'un médecin ?

— Je ne pense pas. Mais elle se prépare une sacrée gueule de bois.

Nathan Whitmore faisait les cent pas sur le trottoir lorsque Luke se gara devant sa maison. Sitôt qu'il ouvrit la portière, Gemma s'affaissa dans ses bras. Il la rattrapa et la souleva, la mine sombre.

— J'aurais dû tuer cette raclure de Campbell il y a longtemps.

— Elle est juste endormie, monsieur Whitmore. Je lui ai pris le pouls, tout va bien.

— Vous avez une idée de ce qu'il lui a donné ?

Luke secoua la tête, et Gemma s'agita à cet instant dans les bras de son mari.

— C'est toi, Nathan ? dit-elle d'une voix d'enfant.

— Oui, Gemma. C'est moi.

Avec un soupir de satisfaction, la jeune femme se rendormit.

— Vous m'aidez à la monter ? demanda Nathan.

Luke s'exécuta, puis patienta dans le salon pendant que Nathan couchait sa femme.

Pour la première fois, il commençait à s'inquiéter des conséquences possibles de ce qu'il avait fait. Il savait qu'il n'avait pas sérieusement blessé Damian Campbell, mais il espérait que ce dernier n'avait pas eu le temps de le reconnaître ni de noter le numéro de sa voiture. Sans quoi il pouvait tirer un trait sur ses nouvelles responsabilités chez Campbell Jewels.

— Puis-je vous offrir quelque chose ? suggéra Nathan, réapparaissant enfin. Pour ma part, j'ai besoin d'un verre. Mais je peux vous proposer du thé ou du café, si vous voulez.

— Un petit whisky ne me ferait certainement pas de mal.

— Quant à moi, marmonna son hôte, je vais m'en servir un grand.

Il lui prépara un verre, puis exigea un récit détaillé de ce qui s'était passé. Luke fit de son mieux pour ne rien omettre.

— Donc, vous l'avez frappé.

— Je n'avais pas le choix. Il va bien, de toute façon. Je l'ai vu se relever. Mais j'espère qu'il ne m'a pas reconnu.

— Il ne se relèvera pas quand, *moi*, j'en aurai fini avec lui, gronda Nathan.

— Vous… vous croyez que c'est très prudent ?

— Non, mais le temps de la prudence est passé. Ce type est un danger pour la société. Il faut l'éliminer.

— L'éliminer ? répéta Luke en pâlissant. Seigneur, vous ne pensez tout de même pas à… à…

Le visage de Nathan était à présent d'une dureté de pierre, et ses yeux scintillèrent lorsqu'ils se posèrent sur Luke.

— Ne vous laissez pas emporter par votre imagination, monsieur Barton. Il y a bien des moyens de mettre quelqu'un hors d'état de nuire. Le meurtre ne fait pas partie de ceux que j'emploie.

Un silence tendu retomba entre eux, presque aussitôt rompu par la sonnerie du téléphone. Après s'être excusé, Nathan disparut dans une pièce voisine, dont il ferma la porte derrière lui. Luke entendit un échange étouffé et, lorsqu'il revint, son hôte arborait une expression des plus étranges.

— C'était mon père, expliqua-t-il. Il semble que notre problème commun ait été résolu.

— Notre problème commun ?
— Damian Campbell.
— Oh ! Comment ça ?
— Ce cher Damian a eu un accident de voiture. Sa Ferrari s'est encastrée dans un poteau électrique. Des témoins disent qu'ils ont vu Damian partir en trombe du parking d'un pub, il y a une heure. Il a perdu le contrôle de son véhicule.
Tout en parlant, Nathan s'était resservi un autre verre, qu'il leva en un toast moqueur.
— Il a été tué sur le coup.
Luke ne trouva rien à répondre lorsque son vis-à-vis sourit avec satisfaction, avant de porter son verre à ses lèvres.

Les premiers éclairs de conscience furent accompagnés d'explosions de douleur, qui se transformèrent bientôt en pulsation lancinante dans ses tempes. Avec un gémissement, Gemma ramena les draps jusqu'à son menton, refusant d'ouvrir les yeux.
Puis elle sentit le matelas s'enfoncer, et une main dégager les cheveux de son front.
— Comment te sens-tu ? demanda une voix familière.
— J'ai une affreuse migraine.
Elle exhala un soupir tremblant, puis roula sur le dos et se força à ouvrir les paupières. Nathan était assis sur le bord du lit, et l'étudiait de son regard gris. Des cernes profonds soulignaient ses yeux. Son expression était morne et lasse.
Le choc provoqué par son apparence, cependant, s'évanouit brusquement lorsque Gemma se rendit compte de l'endroit où elle se trouvait. L'espace d'un instant, elle se demanda si la quinzaine qui venait de s'écouler n'était pas en fait un

affreux cauchemar, et si elle n'allait pas pouvoir reprendre une vie normale.

Mais la réalité la rattrapa bien vite — l'allure de Nathan suffisait à lui confirmer qu'elle n'avait pas rêvé. Dans ce cas, que faisait-elle ici ? Comment y était-elle arrivée ? La dernière chose dont elle se souvenait, c'était d'avoir dansé avec Damian.

Une grimace déforma son visage comme elle tentait de rassembler les pièces éparses du puzzle. Des flashes de mémoire lui revenaient, mais lui échappaient sitôt qu'elle tentait de les retenir. Quelqu'un l'avait embrassée. Et serrée dans ses bras. Etait-ce Nathan ? Il lui semblait se rappeler sa voix... Etait-il allé au pub, et l'avait-il enlevée à Damian ? Non, ce n'était pas cela. Elle aurait juré qu'il y avait également un troisième homme...

La douleur, sous l'effort, ne fit que s'accentuer. A croire qu'elle s'était enivrée à mort, alors qu'elle s'était contentée de deux verres de vin avant de passer au jus d'orange. Quelqu'un avait-il ajouté du gin ou de la vodka à ces boissons ?

De nouveaux souvenirs lui revinrent, fragmentaires mais inquiétants. Elle se rappelait avoir été portée, puis déshabillée. Elle aurait même juré avoir éprouvé du plaisir à la chose. Seigneur, Nathan n'avait tout de même pas...

Avec un hoquet craintif, elle souleva les draps et constata non sans soulagement qu'elle n'était pas nue. Si du moins on pouvait qualifier d'habits son soutien-gorge et son slip échancré...

— Inutile de paniquer, dit Nathan. Je ne t'ai pas touchée, si ce n'est pour te mettre au lit. Encore que tu n'aies pas caché ton envie de faire l'amour. Tu étais déchaînée. J'ai même eu du mal à m'en tirer avec ma vertu intacte. Heureusement pour moi, tu t'es rendormie.

— Je ne te crois pas ! s'exclama Gemma, horrifiée.

— Inutile de t'en vouloir. Ce n'était pas ta faute. La drogue fait tomber les inhibitions, c'est bien connu.

— La drogue ?

— Exactement. Celle que ton cher oncle Damian a glissée dans tes verres toute la soirée.

Elle le fixa avec incrédulité, et Nathan secoua la tête.

— Pourquoi es-tu sortie avec lui ? Je t'avais dit que votre lien de parenté ne l'arrêterait pas. Les types dans son genre n'ont absolument aucune morale.

Ces derniers mots la choquèrent tant qu'elle se redressa brusquement :

— Tu n'as pas l'impression que c'est l'hôpital qui se moque de la charité ? Je t'ai déjà dit mille fois que Damian s'était toujours conduit en parfait gentleman. Pourquoi aurais-je refusé de l'accompagner ? Et ce n'est peut-être pas lui qui a mis ces drogues dans mon verre. Je ne vais pas te croire sur parole.

— Et je ne t'en voudrais pas de ne pas le faire, répondit Nathan avec une surprenante humilité. Mais un témoin a assisté à la scène. Un certain Luke Barton, un cadre dirigeant de chez Campbell. Il a compris ce qui se passait et, lorsque Damian t'a entraînée sur le parking, il est intervenu.

— Intervenu ? Comment ça ?

— Il a assommé Damian et t'a emmenée. Le fait que tu l'aies accompagné sans hésiter en dit long sur ton état. Tu as de la chance que ce Luke soit un chic type. Il aurait très bien pu profiter de la situation au lieu de te ramener ici.

Gemma ferma les yeux en une dérisoire tentative pour chasser les images que Nathan évoquait. Accepter ce qu'il lui disait, c'était reconnaître qu'il avait eu raison à propos de Damian. Ainsi que sur son propre compte... Elle était vraiment la dernière des imbéciles pour avoir fait confiance à un pervers comme son oncle. Seigneur, mais qu'avait-il espéré ? Qu'après l'avoir droguée, il pourrait la… la…

Une soudaine nausée baigna sa bouche d'un goût amer et elle s'en prit à la personne qui comptait le plus pour elle, et dont la trahison l'avait fait souffrir bien davantage que celle de Damian. Ouvrant les yeux, elle posa sur Nathan un regard froid et cynique.

— Pourquoi n'as-tu pas dit à ce Luke que nous étions séparés ? demanda-t-elle sèchement. Pourquoi ne pas lui avoir demandé de me ramener à Belleview ?

Nathan parut surpris par sa véhémence, ce qui ne fit qu'augmenter la colère de Gemma.

— Oh, je comprends. Tu n'as pas pu résister au plaisir de pouvoir me dire : « Tu vois, je t'avais prévenue », et de m'humilier. Il fallait que tu me prouves que tu avais raison depuis le début, et que, si je t'avais écouté, rien de tout cela ne serait arrivé !

— Tu te trompes. Lorsque Luke a appelé, je n'ai pensé qu'à toi. Il fallait que je m'assure que tu allais bien.

— Tu mens ! contra-t-elle farouchement, bien que son cœur se fût emballé à ces mots. Tu te moques bien de moi !

Puis, rejetant les draps, elle se leva, saisit ses vêtements posés sur une chaise et se tourna pour faire face à son mari.

— Ne va pas t'imaginer que tu vaux mieux que Damian, parce que tu es comme lui ! Vous êtes tous les deux de parfaits salauds ! Je vous déteste et je vous méprise ! Quand je pense que j'ai passé la nuit dans le lit où tu t'es sans doute envoyé cette Jody, ça me rend malade !

Nathan se leva à son tour, le teint cendreux.

— Jody n'a jamais couché dans ce lit. Pas une fois.

— Et je suis supposée avaler ça ?

— Si tu me croyais, je te dirais sans doute que tu es naïve, murmura son mari avec une noire ironie. Mais c'est la vérité.

— Tu prétends que tu ne l'as pas ramenée ici le soir de la fête ?

— Non, ce n'est pas ce que je prétends.

— Voilà, tu ne fais donc que jouer sur les mots. Je suis sûre qu'elle a été ravie de te satisfaire dans tous les domaines, y compris dans ceux auxquels je rechigne, ou pour lesquels je ne suis pas très douée !

— Tu es extrêmement douée au lit. Quant à te faire faire une chose que tu n'aimes pas, je n'en ai jamais eu envie.

— Alors pourquoi m'avoir abandonnée pour un modèle plus expérimenté ? L'amour normal ne te suffisait plus ? J'aurais peut-être dû demander à Lenore ses recettes pour t'avoir gardé aussi longtemps. Apparemment, ma technique rustique n'a pas suffi.

— C'est faux. Tu sais que j'adorais te faire l'amour.

— C'est très aimable à toi. J'en suis extrêmement flattée. Bien sûr, l'innocence, ça va un temps. Tu t'en es lassé. Enfin, tout cela, c'est du passé. Tout est fini entre nous, comme tu l'as souligné la dernière fois. Alors au cas où tu aurais changé d'avis et où tu voudrais me reprendre, je te conseille d'y renoncer tout de suite. Je n'accepterais pas même si tu traversais le pays à genoux pour moi ! A présent, je vais aller me doucher, puis j'appellerai Belleview. Avec un peu de chance, ils ne se seront pas aperçus de mon absence.

— J'ai déjà parlé à Byron, répondit son mari avec un calme irritant. Il sait que tu es ici.

— J'espère que tu ne lui as pas donné de faux espoirs. Nous savons tous les deux qu'il aimerait nous voir réconciliés, mais je ne laisserai plus personne me manipuler. C'est fini.

— Je ne te cacherai pas qu'il a paru heureux de te savoir ici.

— Mon Dieu… Tu as vraiment changé d'avis, alors. Tu veux me reprendre, pour une raison ou pour une autre ! Que s'est-il passé ? Le coût à payer s'est avéré supérieur à ce que tu pensais ? L'opinion de Byron est si importante à tes yeux que tu es prêt à supporter la petite imbécile que je suis ?

— Ne dis pas ça, s'exclama Nathan avec une grimace.

— C'est *toi* qui m'as appelée comme ça, tu te souviens ? Et peut-être était-ce mérité. Après tout, il fallait vraiment être la reine des pommes pour ne pas voir quel homme était Damian. Même ma mère m'avait prévenue. A croire que j'attire ce genre de pervers, acheva-t-elle avec un regard appuyé pour son mari.

Il pâlit visiblement et, bien malgré elle, Gemma en éprouva de la culpabilité. Dieu sait pourtant qu'il le méritait !

— Cette conversation est terminée, déclara-t-elle abruptement. Rien de ce que tu pourras dire ou faire ne me convaincra de revenir.

Sans lui laisser le temps de répondre — encore qu'il ne parût pas sur le point de le faire —, elle tourna les talons et disparut dans la salle de bains. Le fait de claquer la porte lui apporta une certaine satisfaction, après quoi elle ouvrit tous les robinets à fond et se glissa sous la douche. L'eau chaude emporta aussitôt les larmes qui roulaient sur son visage, les larmes qu'elle versait sur son innocence perdue et ses rêves brisés.

De larmes, il ne restait cependant plus trace lorsqu'elle pénétra enfin dans la cuisine, où Nathan était attablé devant une tasse de café fumant. Elle se sentait mieux, même si sa migraine et sa nausée n'avaient pas complètement disparu. Une horloge, au mur, indiquait 11 h 15.

— Je vais appeler un taxi, annonça-t-elle sans préambule.

Nathan releva la tête, et lui adressa un regard indéchiffrable avant de répondre :

— Je crois que tu ferais bien de t'asseoir, Gemma. Il y a quelque chose que tu dois savoir…

5.

Assise sur un petit monticule de terre, Gemma traçait distraitement, du talon, des sillons dans la poussière. La probabilité de trouver une opale près de la cabane de Ma était faible, mais ce mouvement lancinant et répétitif la distrayait. De fait, depuis son retour à Lightning Ridge, elle se sentait mieux.

C'était dans un état d'intense épuisement qu'elle était descendue de l'avion de Sydney, six semaines auparavant. Vingt-quatre heures avant son départ, elle avait assisté aux funérailles de son oncle aux côtés de sa mère et de sa grand-mère. Elle ne leur avait pas dit ce qui s'était passé. C'était Byron qui lui avait demandé cette immense faveur, expliquant qu'il aurait été cruel et dorénavant inutile de ternir la mémoire de Damian.

Gemma aurait été trop faible, de toute façon, pour tenir tête à son père. Elle s'était effondrée dès que Nathan lui avait annoncé la mort de Damian dans un accident de voiture. Il s'était mis en colère, incapable de comprendre comment elle pouvait pleurer un tel monstre. Une nouvelle fois, il avait mal interprété ce qui n'était qu'une manifestation d'humanité. Davantage que Damian, elle avait pleuré la bêtise des êtres humains, leur méchanceté, leurs penchants destructeurs.

Nathan n'avait pas prononcé un mot lorsque, plus tard ce jour-là, il l'avait raccompagnée à Belleview. Il la croyait sans doute toujours coupable d'avoir eu une liaison avec Damian, et elle ne s'était pas senti l'énergie de le détromper. Elle était donc restée blottie et silencieuse sur le siège passager, frissonnant malgré la clémence de ce jour de printemps.

Gemma soupçonnait que, sans Ava, elle se serait effondrée totalement. Mais sa tante s'était occupée d'elle, l'avait consolée et mise au lit. Lorsqu'elle s'était réveillée, le lendemain matin, le soleil qui baignait sa chambre lui avait donné l'impression qu'une vie nouvelle allait commencer, et que le plus dur était désormais derrière elle.

Malgré cela, ou peut-être à cause de cela, elle avait été prise d'un irrésistible désir de partir loin de Sydney après les funérailles. Elle avait trouvé ce qu'il fallait de courage pour prendre sa décision, et l'énergie de s'y tenir malgré les objections de ses parents. Même Ava s'y était mise, affirmant qu'elle allait s'ennuyer mortellement en son absence

Mais Gemma ne s'était pas laissé prendre au piège : follement amoureuse de son fiancé italien, Ava n'aurait guère d'occasion de s'ennuyer. Elle avait donc ignoré tous les conseils de son entourage et avait pris le premier vol pour Lightning Ridge où elle s'était installée chez Ma. Elle avait refusé de donner une date de retour, et avait simplement promis d'écrire. Elle s'était également excusée auprès de Byron de devoir de nouveau quitter son travail, mais cette fois, c'était la bonne. Lorsqu'elle reviendrait, elle était décidée à se trouver un nouvel emploi sans l'aide de quiconque.

Mais rentrerait-elle jamais à Sydney ? Gemma se le demandait. Tripotant le rebord de son chapeau de feutre, elle regarda autour d'elle. Il y avait eu un temps où son seul rêve avait été d'échapper à cet enfer brûlant et désolé, et au style de vie qui y était associé. Aujourd'hui, cependant, elle percevait une austère beauté dans les arêtes de pierre et le bleu coupant du ciel. Et elle appréciait le calme et la tranquillité du coin. La chaleur, songea-t-elle en tirant un mouchoir de sa poche et en s'essuyant le front, était la seule chose à laquelle elle ne parviendrait sans doute jamais à s'habituer.

— Mais qu'est-ce que tu fais assise en plein soleil ? gronda Ma, qui venait d'apparaître au coin de la maison. Tu connais le proverbe : « Il n'y a que les chiens et les Anglais pour sortir en plein midi. »

— Il est déjà si tard ?

— Regarde-toi ! A force de passer tes journées dehors, tu es dorée comme un pruneau ! Tu as mis de la crème solaire ?

— Bien sûr que oui ! répondit Gemma. C'est juste que j'ai beaucoup de mélanine dans la peau.

— De quoi ?

— De mélanine. C'est un pigment.

— C'est une excuse, oui ! Tu ne veux tout de même pas attraper autant de rides que moi, pas vrai ? Rends-toi plutôt utile. Va donc nous préparer quelque chose de frais pendant que je sors les courses du coffre.

L'idée que Ma se faisait de « quelque chose de frais » était en général une bière. Mais avec la température qui régnait à l'extérieur, l'idée n'était pas si mauvaise…

Avec un hochement de tête, Gemma se leva et se dirigea vers la maison. Il n'y avait chez Ma ni air conditionné, ni télévision, ni aucune des commodités qu'offrait un appartement décent à Sydney. Gemma en avait d'abord été déroutée, mais cela lui avait permis de passer de longues soirées à discuter avec sa vieille amie. Peu à peu, grâce au bon sens paysan de Ma, elle en était venue à mettre de l'ordre dans ses pensées, à considérer son mariage d'un œil neuf.

— Ce n'était qu'une affaire de sexe, lui avait dit Ma. Ça arrive tout le temps. En fait, la plupart des mariages commencent comme ça, jusqu'à ce que l'arrivée d'enfants consolide ou brise le couple. C'est un fait, et il n'y a rien que tu puisses y faire. La plupart des hommes sont complètement immatures, de toute façon.

Mais « immature » n'était pas le mot juste pour décrire Nathan. C'était un individu bien plus complexe, victime d'un passé dont Ma ne soupçonnait pas la noirceur.

— Tu ne crois pas que j'aie jamais aimé Nathan, n'est-ce pas ? avait demandé Gemma, un soir.

— Non. Tu t'es emballée pour son physique et son savoir-faire, c'est tout. Comment aurais-tu pu l'aimer ? Tu n'as même pas eu le temps de le connaître. A part dans le sens biblique du terme, avait gloussé Ma en lui faisant un clin d'œil.

Même si Gemma avait ri, elle était cependant loin d'avoir oublié Nathan. A plus d'une reprise, elle s'était réveillée la nuit en repensant à leurs étreintes passionnées. A croire qu'il avait lié son corps au sien et que la distance ne pouvait abolir cette attache. Ma avait raison. Cet appétit sauvage et primitif n'avait rien à voir avec de l'amour.

Parfois, elle se sentait prise d'un désir si vif pour lui que sa peau la brûlait tandis qu'une chaleur douloureuse naissait au creux de son ventre. Elle était impuissante à lutter contre ces accès imprévisibles, dévastateurs. Il lui venait alors des fantasmes, celui de planter ses ongles dans le dos baigné de sueur de son mari, de l'attirer en elle pour qu'il la fasse sienne. Nathan avait pris son corps vierge et l'avait programmé pour répondre à des caresses que lui seul pouvait donner, à un désir que lui seul pouvait satisfaire.

Mais, si elle ne pouvait l'oublier, cela ne signifiait pas pour autant qu'elle devait sombrer dans le désespoir. Non. Elle était bien plus forte que cela !

Gemma pénétra enfin dans la maison. L'air y était légèrement plus frais qu'à l'extérieur, et elle soupira d'aise. Lorsqu'elle se baissa pour sortir des bières du réfrigérateur, cependant, un brusque vertige la saisit. Instinctivement, elle se laissa tomber à genoux et mit sa tête entre ses genoux. Ce fut dans cette position que Ma la trouva quelques minutes plus tard.

— Seigneur Dieu !

Lâchant ses sacs, la vieille dame se précipita vers elle.

— Qu'est-ce qu'il y a ? Qu'est-ce que tu as ?

Précautionneusement, Gemma redressa la tête. Les taches noires qui dansaient devant ses yeux avaient disparu, mais une sueur froide lui baignait toujours le visage.

— Je… j'ai failli m'évanouir.

— Tu vois ? Je t'avais dit de ne pas te mettre au soleil. Ce doit être une insolation.

— Non, cela n'a rien à voir, répondit-elle doucement, en s'adossant au mur. Je crois que je suis enceinte.

Ma ouvrit tout grand la bouche, mais aucun son n'en sortit.

— Tu es allée voir un médecin ? demanda-t-elle enfin.

— Non.

— Alors comment peux-tu en être sûre ?

— Je n'ai pas eu mes règles depuis une éternité, mes seins me font mal et, depuis peu, j'ai envie de vomir tous les matins.

— Et tu ne m'en as rien dit ?

— Je… j'espérais que je me trompais.

A son tour, Ma s'assit lourdement près d'elle. Une ride soucieuse s'était ajoutée aux nombreuses autres sur son front.

— Tu ne veux pas de cet enfant ?

— En d'autres circonstances, j'aurais été aux anges. Mais le moment est plutôt mal choisi, non ? Je me suis toujours juré que, si j'avais un enfant, il ne souffrirait pas ce que j'ai souffert. Qu'il aurait deux parents, et des frères et sœurs.

— Tu ne comptes pas te débarrasser du bébé, n'est-ce pas ?

— Seigneur, non !

— C'est bien ce que je pensais.

Ma se mordilla pensivement la lèvre, puis se tourna vers elle.

— Je t'aiderai autant que je le pourrai, mais Lightning Ridge n'est pas un endroit pour élever un enfant. Tu le sais mieux que quiconque.

— Oui, soupira Gemma en balayant la pièce du regard. Oui, je le sais.

— Qu'est-ce que tu comptes faire ?

— Je n'y ai pas encore réfléchi.

— De combien es-tu enceinte, à ton avis ?

— Un peu plus de deux mois, répondit-elle en trichant délibérément d'une semaine.

Elle avait tout dit à Ma sur ce qui s'était passé après son départ de Lightning Ridge — tout, à l'exception de ce malheureux après-midi où Nathan l'avait surprise dans la chambre de Damian.

— Il est bien de ton mari, n'est-ce pas ? demanda la vieille femme d'un ton sévère.

— Oh non, tu ne vas pas t'y mettre… Bien sûr qu'il est de Nathan ! Je n'ai jamais couché avec aucun autre homme.

Je sais que tu crois que je ne l'ai jamais aimé, mais tu te trompes. Jamais je ne lui aurais été infidèle.

Ma glissa un bras réconfortant autour de son épaule, et soupira.

— Je te crois. Mais il fallait que je demande. Allez, viens, allons boire quelque chose. A moins que tu ne préfères t'allonger.

— Non, ça va mieux. Je vais m'asseoir avec toi.

— Je vais te préparer de la limonade. Plus de bière pour toi.

Elles s'installèrent et burent un instant en silence, puis Ma demanda abruptement :

— Est-ce que tu l'aimes encore ?

Gemma hésita. Quelle était la réponse à cette question ? Elle-même n'en était pas très sûre.

— Peut-être. Probablement. Je ne sais pas. Je pense toujours beaucoup à lui. C'est un homme difficile à oublier.

— Il faudra que je le rencontre un jour, pour le voir de mes propres yeux.

— Je ne crois pas que tu en auras l'occasion.

— Oh, je n'en suis pas si sûre. Dès que tu lui auras annoncé que tu es enceinte, je pense qu'il va rappliquer en quatrième vitesse.

— Je ne vais pas lui dire que je suis enceinte.

A cette nouvelle, Ma parut sur le point d'avoir une attaque d'apoplexie.

— Tu ne vas pas lui dire ? Tu es folle ?

— Il ne veut plus de moi, protesta Gemma. Ce qui signifie qu'il ne voudra pas davantage d'un enfant.

— Ridicule ! Il a épousé sa première femme parce qu'elle allait avoir un enfant, et il ne la désirait apparemment pas autant que toi ! Quant au fait qu'il ne veut plus de toi, je n'y crois pas. Il était tellement fou de toi qu'il t'a épousée après avoir juré de ne plus jamais se remarier ! Je te parie qu'il regrette déjà tout ce qu'il a dit.

Gemma se rappela ce matin où elle s'était réveillée dans leur chambre, au lendemain de la mort de Damian. Elle avait accusé son mari d'être revenu sur sa décision et, à aucun moment, il n'avait nié la chose. A l'inverse, il n'avait rien fait par la suite pour tenter de la persuader de revenir. Il en avait pourtant eu l'occasion, d'autant plus qu'elle avait été incroyablement vulnérable…

— Si Nathan voulait de nouveau de moi, dit-elle d'une voix morne, il l'aurait fait savoir. Il aurait appelé, ou écrit. Non, je n'utiliserai pas notre bébé pour lui forcer la main.

— Dans ce cas, tu n'es qu'une idiote. Que se passera-t-il s'il apprend l'existence de votre enfant, et qu'il essaie de te le prendre ?

Comme Gemma fixait avec stupeur son amie, cette dernière ajouta :

— C'est un homme riche, n'est-ce pas ? C'est fou ce que l'argent peut acheter.

— Nathan ne ferait jamais une chose pareille !

— Qu'est-ce que tu en sais ? Tu as dit toi-même que tu ne le connaissais pas vraiment. Et puis, il a autant de droits que toi sur cet enfant. Il n'aura peut-être même pas besoin de dépenser un sou pour obtenir sa garde. Tout ce qu'il lui faudra, c'est un juge compatissant.

— Non. Non, il ne ferait jamais cela.

— Je t'en prie, ne t'enfouis pas la tête dans le sable ou tu pourrais bien le regretter un jour. L'heure est venue de faire preuve de réalisme. Et de penser un peu à toi. Elever un bébé seule n'est pas chose facile, pour commencer. Ça demande beaucoup de temps et d'argent.

— J'ai du temps et de l'argent, répliqua Gemma, qui commençait à regretter de s'être confiée à Ma. Et si j'ai besoin d'encore plus d'argent, je me trouverai un avocat qui plumera Nathan.

— C'est ça ce que tu as appris en ville ? A te montrer froidement calculatrice ?

Gemma eut une expression stupéfaite, mais son amie repartit avec un geste irrité :

— Ne me regarde pas comme ça. Tu n'es plus une gamine. Tu es mariée, et tu portes l'enfant de ton époux. Le moment est mal choisi pour divorcer.

— Tu ne comprends pas, geignit-elle. Nathan ne voudra pas de ce bébé.

— Pourquoi n'en voudrait-il pas ? Je suis sûre qu'il sera aux anges.

Gemma était sur le point d'avouer toute la vérité lorsque quelque chose l'en empêcha. Au lieu de cela, elle baissa donc les yeux et secoua la tête.

— Il refusera sans doute d'admettre que l'enfant est de lui.

— Qu'est-ce que tu racontes ? Il y a des tests infaillibles, de nos jours.

— Ma, arrête. Je… je t'en prie. Je ne veux pas lui parler de l'enfant.

— Dans ce cas, tu es stupide !

— Peut-être, mais c'est mon bébé. C'est *ma* vie.

— C'est extrêmement naïf, si tu veux mon avis.

— Je ne suis pas naïve ! se récria Gemma, lasse d'entendre cette accusation.

— Dans ce cas, agis en conséquence et dis-lui la vérité. Et s'il veut divorcer et qu'il se moque de l'enfant, demande-lui de te mettre ses intentions par écrit.

Vaincue, Gemma leva les deux bras en signe de capitulation.

— D'accord, j'ai compris ! Je vais aller à Sydney et tout lui dire.

— Oh non ! Nous allons l'appeler et lui demander de venir. J'aimerais bien le voir en chair et en os. Et être là quand tu lui annonceras la nouvelle.

— Comment vais-je le convaincre de venir jusqu'ici sans lui parler du bébé ?

— Ne t'inquiète pas. Je trouverai bien quelque chose…

6.

Nathan allait venir.

Gemma peinait toujours à le croire. La veille, Ma s'était rendue en ville et en était revenue avec un test de grossesse. Lorsqu'il s'était avéré positif, son amie était repartie et avait appelé Nathan d'une cabine.

Il était supposé prendre l'avion ce matin même. Il louerait ensuite une voiture à l'aéroport puisqu'il avait décliné la proposition de Ma de venir le chercher. Si le vol n'avait pas de retard, cela signifiait qu'il arriverait à Lightning Ridge vers 11 heures. Encore une heure à attendre, donc. Malgré cela, Gemma se sentait déjà incroyablement nerveuse.

— Je veux savoir ce que tu as dit à Nathan pour le convaincre de venir, dit-elle pour la centième fois. Tu ne lui as pas parlé de l'enfant, n'est-ce pas ?

— Non.

— Pourquoi ne veux-tu rien me dire ?

— Parce que.

De frustration, Gemma tapa du pied.

— Ce n'est pas une réponse !

— C'est la seule que tu tireras de moi. Va te faire belle pour ton mari, à présent. Et change-toi.

— Pas question. Je me sens très bien dans ce short. Je n'ai pas l'intention de me changer pour quiconque. Surtout pas pour *lui* !

— Tu pourrais au moins mettre un peu de rouge à lèvres, la gourmanda la vieille dame.

— Pourquoi ça ? A croire que tu ne m'as pas écoutée, ces dernières semaines ! Nathan ne veut plus de moi, et je ne veux plus de lui. J'espère d'ailleurs que tu ne lui as pas dit que j'avais changé d'avis. Seigneur... Tu... Tu n'as pas fait ça, pas vrai ?

— Bien sûr que non ! Bon, si tu veux tout savoir, je lui ai dit que tu n'allais pas très bien.

Gemma ne put dissimuler une moue sceptique.

— Allons, si tu lui avais dit ça, il n'aurait pas accouru de la sorte. Il t'aurait répondu de m'envoyer chez le médecin.

— C'est que... nous n'avons pas ce genre de médecin par ici.

— Quoi donc ? Un gynécologue ?

— Non. Un psychiatre.

Gemma ouvrit grand la bouche, puis la referma aussitôt.

— Tu lui as fait croire que j'avais perdu la tête ?

— Quelque chose dans ce genre.

— Ma, comment as-tu pu faire ça ?

— Oh, c'était assez facile.

— C'est lui qui va devenir fou quand il va s'apercevoir que tu lui as menti !

— Tu ne pourrais pas faire semblant d'être un peu timbrée ? demanda son amie d'un ton plein d'espoir.

— Très drôle. Vraiment.

— Ecoute, ça l'a fait venir, c'est tout ce qui compte. Je rétablirai la vérité dès qu'il arrivera, et il oubliera tout quand tu lui annonceras la raison de sa présence ici.

— Je ne peux pas dire le contraire… Ça va être un véritable désastre !

— Absolument pas. Ça te permettra d'y voir plus clair, et vous pourrez vous mettre d'accord avant la naissance du bébé. Comme je te l'ai déjà dit, ton mari a des droits sur l'enfant. Autant savoir au plus vite quel rôle il entend jouer dans sa vie. Peut-être se contentera-t-il de fournir un soutien financier, mais quelque chose me dit que ça ne lui suffira pas. A présent, je vais nous faire un peu de thé, et nous allons parler d'autre chose pendant l'heure qui vient. D'accord ?

— J'ai le choix ?

— Absolument pas.

— Alors c'est d'accord…

Gemma était dans un état de profonde agitation lorsque, à 11 heures passées, Nathan n'avait toujours pas fait son apparition. Elle faisait les cent pas devant la maison, surveillant la piste d'un œil inquiet, oscillant entre la déception et le soulagement. A deux reprises, un nuage de poussière brouilla l'horizon — son cœur s'arrêta alors un instant, cependant aucune voiture ne se matérialisa. La troisième fois qu'un nuage apparut, elle eut à peine un regard dans sa direction. Mais lorsqu'elle vit le soleil se refléter sur un pare-brise, son estomac se noua tandis que sa gorge s'asséchait. Elle rentra en courant, pâle et tremblante.

— Il arrive !

Ma se dressa, imposante malgré sa petite taille et sa robe à fleurs bleues, qui aurait mérité depuis longtemps d'être donnée à une œuvre de charité. Plaçant une main ferme sur l'épaule de Gemma, elle la regarda droit dans les yeux.

— Calme-toi, ma belle. C'est juste un homme.

Gemma déglutit. Ma ne savait pas tout. Comment Nathan allait-il réagir en apprenant que le bébé qu'elle portait avait été conçu durant ce douloureux après-midi ? Il était ironique qu'elle eût d'abord accueilli cette possibilité avec optimisme, dans l'espoir qu'une grossesse lui permettrait de retrouver son mari. Elle n'était plus aussi naïve, désormais. Elle ne lui annoncerait la nouvelle que pour éviter qu'il ne tente, plus tard, de lui prendre l'enfant.

— Sortons, dit Ma. Tu n'as pas à te cacher. Va l'accueillir la tête haute. Ne le laisse pas croire que tu as peur de lui.

— Je n'ai pas peur de lui, déclara Gemma gravement.

Non, c'était d'elle-même qu'elle avait peur. De sa réaction en présence de Nathan…

Elle sortit, accompagnée de Ma, au moment où une Corolla bleue s'arrêtait à une vingtaine de mètres de la maison, à l'endroit où finissait la piste. Elle voulut lever la main pour se protéger du soleil, mais elle tremblait tant qu'elle y renonça.

Nathan mit enfin pied à terre. Malgré la poussière et la chaleur, il semblait tout droit sorti d'un bureau climatisé, avec son costume gris, son impeccable chemise blanche et sa cravate moirée. Ma, qui le voyait pour la première fois, laissa échapper un petit sifflement comme il s'avançait vers elles d'un pas tranquille, ses cheveux blonds brillant au soleil.

— Bon sang, tu ne m'avais pas dit qu'il était aussi séduisant.

— Détends-toi, répondit Gemma avec humour. Ce n'est qu'un homme.

Le regard gris de Nathan passa de l'une à l'autre tandis qu'il approchait, puis enveloppa Gemma de la tête aux pieds. Déconcertée, elle sentit son pouls s'emballer aussitôt. Mais au moins n'était-elle plus candide au point de prendre cette réaction pour de l'amour. Il ne s'agissait là que de désir et, même si elle était honteuse d'en éprouver après tout ce que son mari lui avait fait, elle ne pouvait nier pour autant sa réalité.

— Tu as l'air plutôt en forme pour quelqu'un qui fait une dépression nerveuse, fit-il remarquer tout de go.

— Gemma va très bien, intervint Ma. J'ai menti sur son état pour vous faire venir. Et croyez bien que j'en suis désolée.

Nathan posa sur elle un regard assassin, mais la vieille dame ne broncha pas.

— J'espère que vous avez une bonne raison d'avoir agi ainsi, madame...

— Appelez-moi, Ma. Pour tout vous dire, monsieur Whitmore, Gemma voudrait vous faire part de quelque chose d'important. Elle préférait que je sois là lorsqu'elle vous le dirait.

— Pourquoi ? demanda-t-il aussitôt, cinglant. Qu'est-ce que vous croyez que je vais lui faire ? Que vous a-t-elle dit sur moi ?

— Rien que je n'aie pu constater par moi-même durant ces quelques minutes, monsieur Whitmore. Vous êtes vraiment glaçant. Ma Gemma sera mieux sans vous.

— D'autres personnes partagent cet avis, madame. Quant à être glaçant, ça n'opère apparemment pas sur moi-même, ajouta-t-il en tirant sur sa cravate et en déboutonnant sa chemise. Je meurs de chaud. Mais tu ne m'as sans doute pas fait venir jusqu'ici pour discuter de notre divorce, Gemma ? Un coup de fil à Zachary aurait suffi.

— Ce n'est pas à propos du divorce, répondit-elle avec d'autant plus d'irritation qu'elle s'était surprise à le dévorer des yeux pendant qu'il se mettait plus à l'aise. Je te laisse t'occuper de tout, puisque c'est toi qui es si pressé de te débarrasser de moi. Un autre problème a surgi, dont Ma pensait que je devais t'informer.

Nathan leva un sourcil interrogateur, tout en coulant un regard à la vieille dame. Cette dernière se redressa de toute la hauteur de son mètre soixante et déclara solennellement :

— Je crois que nous ferions bien de rentrer.

— Bonne idée, répondit-il en se dirigeant vers la porte, et en se baissant légèrement pour franchir le seuil.

— Quel type arrogant, marmonna Ma dans sa barbe. Mais on peut dire qu'il est séduisant. Je comprends que tu aies du mal à l'oublier.

Gemma réprima un grognement de frustration. Dès l'instant où Nathan était descendu de voiture et avait posé les yeux sur elle, elle avait bien failli tout oublier des raisons de sa présence pour courir se jeter dans ses bras. Il était injuste qu'un homme, et surtout un homme tel que lui, fût doté d'un tel pouvoir…

Nathan était debout derrière une chaise, face à la table de bois qui occupait la pièce principale. Il ne cherchait pas à dissimuler ses sentiments comme il balayait l'endroit d'un regard rapide. Tout son être exprimait son dédain pour des conditions de vie aussi précaires.

— Assieds-toi, lança sèchement Gemma. Les chaises ont l'air un peu rustique mais elles sont confortables. Tu veux quelque chose à boire ?

— Non, merci. Ce que je voudrais, en revanche, c'est que tu m'expliques pourquoi je suis là.

Gemma s'éclaircit la gorge, puis se jeta à l'eau avant de se laisser le temps de changer d'avis.

— Je ne tournerai pas autour du pot. Je suis enceinte. Et avant que tu ajoutes quoi que ce soit, laisse-moi t'assurer que l'enfant est de toi. Au cas où tu en douterais, je passerai tous les tests nécessaires.

Etait-ce un effet de son imagination, ou était-il soudain devenu blanc comme un linge ? Elle avait sans doute été victime d'une illusion car, dans la seconde qui suivit, il éclata de rire. Gemma et son amie le regardèrent toutes deux avec ébahissement.

— Si jamais je devais croire en un Dieu de justice, déclara Nathan en secouant la tête, ce serait le moment idéal.

Gemma ne comprenait rien à sa réaction. Son rire l'avait blessée, humiliée.

— Tu veux dire un Dieu injuste, rétorqua-t-elle avant qu'il pût reprendre la parole. Tu ne t'imagines pas que je désirais cet enfant ?

— J'aimerais parler à ma femme en tête à tête, annonça Nathan, posant un regard sans équivoque sur Ma.

Cette dernière hésita, puis branla du chef et se leva avec une réticence visible.

— Je ne serai pas loin, avertit-elle avant de sortir.

Gemma avait fixé son mari pendant tout ce temps, se concentrant délibérément sur la colère qui bouillait en elle. Cela valait mieux que de s'imaginer dans ses bras, à lui faire l'amour après toutes ces semaines de frustration...

— Alors ? lança-t-elle d'un ton de défi. Qu'est-ce que tu as à me dire que tu ne pouvais exprimer devant Ma ?

Les yeux de Nathan prirent la couleur de l'ardoise, et il posa une question qu'elle n'avait pas vu venir.

— Tu veux avorter, je présume ? Etant donné les circonstances, je...

— Non, coupa-t-elle froidement. Je ne veux pas avorter. Je compte bien avoir cet enfant.

La stupeur de Nathan, à cette nouvelle, parut bien réelle.

— Mais pourquoi ? Chaque fois que tu le regarderas, tu repenseras aux circonstances dans lesquelles il a été conçu. Tu finiras par le détester autant que tu me détestes !

— Comme tu me connais mal, Nathan ! Mais après tout, je n'ai pas à t'expliquer mes motivations, ni mes sentiments. Je t'ai informé de l'existence du bébé et de mon intention de mener ma grossesse à son terme. Maintenant, j'aimerais que tu me fasses part de tes propres intentions. Te contenteras-tu de lui donner ton nom, ou comptes-tu jouer un rôle dans son éducation ? Dans les deux cas, je t'assure que tu vas payer. Cher.

— C'est donc ça, alors ? Une simple question d'argent ? Tu veux ce bébé parce qu'il te permettra de m'extorquer une plus grosse pension alimentaire...

Gemma était tellement indignée par ces paroles qu'elle décida de ne pas nier l'accusation.

— Et pourquoi pas ? Je ne suis plus la petite imbécile que tu as épousée. Tu m'en as fait baver, et c'est à mon tour de t'en faire baver. N'attends aucune pitié de ma part.

Cette fois, il pâlit vraiment, et Gemma fut assaillie de remords l'espace d'un terrible instant. Pourquoi s'était-elle montrée aussi dure ? Espérait-elle effacer ce qu'elle éprouvait pour lui en cédant à son instinct de vengeance ?

— Combien veux-tu ? lâcha-t-il enfin. Dis un chiffre.

— Tu crois que seul l'argent m'intéresse ?

— Qu'est-ce que tu veux, alors ? demanda Nathan d'un ton presque las. Dis-le-moi et, si c'est possible, je te le donnerai.

Des larmes montèrent aux yeux de Gemma ; elle étouffa un éclat de rire nerveux.

— Et si je te disais que c'est toi que je veux ? Mon mari et le père de mon enfant ? Si je te disais que je veux ton amour ? Est-ce que tu peux me donner ça, Nathan ?

Il resta silencieux.

— C'est bien ce que je pensais, reprit-elle. Dans ce cas, je me contenterai du fait que tu assumes ton rôle de père, et que tu fasses davantage que signer des chèques pour cet enfant.

— Je n'ai jamais fui mes responsabilités paternelles.

— Comme c'est noble de ta part.

— Je crois t'avoir déjà dit que je n'avais rien de noble. Mais oui, à ma façon, j'ai un sens de l'honneur. Si tu es prête à supporter les contraintes de ton statut d'épouse, je suis prêt à donner une nouvelle chance à notre mariage. Qu'en dis-tu ?

Outrée, Gemma se redressa d'un bond.

— Je te dis d'aller au diable, Nathan Whitmore ! Je ne veux pas que tu te sacrifies pour moi ! Pas davantage que je ne veux d'un mari qui ne m'aime pas ! Pour qui te prends-tu, pour me faire une proposition pareille ? Remballe ta culpabilité et disparais ! Va retrouver cette chère Jody ! Je suis sûre que tout est plus facile, avec elle !

— Qu'est-ce qui se passe ? s'écria Ma en faisant irruption dans la pièce. Pourquoi ces cris ?

Gemma, à présent, était hors d'elle.

— A cause de lui ! hurla-t-elle en désignant Nathan d'un doigt tremblant. D'abord, il m'a suggéré d'avorter ! Et quand j'ai dit non, il m'a généreusement proposé de venir vivre avec lui à Sydney pour jouer à la famille heureuse !

— Qu'est-ce qu'il y a de mal à ça ? s'étonna Ma, visiblement déroutée par son attitude. Tu ne comptes tout de même pas avoir cet enfant toute seule et l'élever ici, alors que tu as un mari qui se propose de t'aider ?

Gemma peinait à en croire ses oreilles. Voilà que sa propre amie se rangeait du côté de Nathan !

— Je ne serai pas seule ! Tu seras là.

— Pour combien de temps, ma chérie ? Je suis vieille, et je ne rajeunis pas. Et quand bien même j'adorerais vous avoir ici, le bébé et toi, vous méritez bien mieux.

S'avançant, elle prit les mains de Gemma dans les siennes.

— Essaie, au moins. Donne-toi une chance. Si ça ne marche pas, tu ne pourras pas te reprocher de ne pas avoir essayé.

— Comment est-ce que ça pourrait marcher alors que nous ne nous aimons pas ?

— Mais vous aimerez tous deux l'enfant. Et grâce à lui, vous apprendrez peut-être à vous aimer l'un l'autre.

— Qui a dit que nous aimerions tous deux l'enfant ? marmonna Gemma, consciente du fait que Nathan, lui, ne pourrait oublier les circonstances de sa conception.

— Si tu viens avec moi, intervint son mari d'une voix sourde mais intense, je te promets de faire de mon mieux pour réparer ce que j'ai fait. Je sais que tu ne le croiras pas, mais je n'ai jamais voulu te faire souffrir.

— Pourtant, ç'a été le cas !

— Oui… oui, c'est vrai. J'ai eu assez de temps pour y repenser et le regretter. Si tu es assez généreuse pour me donner une seconde chance, je ne te laisserai pas de nouveau tomber. Et qui sait ? Peut-être que Ma a raison. Peut-être que nous apprendrons à nous aimer. Moi, je crois que c'est possible.

Gemma le fixa, stupéfaite. Il était doué, vraiment doué. Qu'était devenu l'homme cynique et impitoyable qui lui avait suggéré d'avorter ? Qu'est-ce qui se cachait derrière cette offre ? Espérait-il pouvoir l'attirer de nouveau dans son lit ? Ou n'agissait-il ainsi que pour se racheter aux yeux de Byron ?

— Allons, reprit doucement Ma. Il peut difficilement faire plus, n'est-ce pas ? Repars avec lui. Donne-lui une seconde chance.

Mais Gemma n'avait aucune intention de capituler aussi aisément. Elle ne pouvait oublier ce qu'il lui avait fait subir ; elle n'était pas dupe de son talent pour la manipulation. Quelques vagues excuses ne suffiraient pas à effacer l'ardoise.

— D'accord, je vais rentrer à Sydney. Mais je ne vivrai pas avec toi. Je veux un endroit à moi. Et une pension décente.

— Tu peux avoir la maison d'Avoca, si tu veux. Et dix mille dollars par mois. Ce sera assez ?

— C'est plus que généreux, intervint Ma.

Gemma dévisagea son mari avec méfiance, mais il lui opposa une mine parfaitement neutre. Cela ne fit que renforcer son inquiétude, car elle savait qu'il effaçait toute expression de son visage lorsque son esprit était le plus actif. De plus, cela ne lui ressemblait pas de céder ainsi à toutes ses exigences. Quel plan machiavélique tramait-il ? Espérait-il utiliser le sexe pour la faire plier à sa volonté ?

Elle faillit bien éclater de rire. Car, si c'était le cas, elle n'avait pas une chance de lui résister. Restait à espérer qu'il ne s'en rendait pas compte…

Elle devait être folle pour se mettre ainsi à sa merci, surtout alors que lui-même semblait regretter leur séparation. Peut-être aurait-elle dû attendre quelques mois, d'être grosse et beaucoup moins désirable, avant de lui annoncer qu'elle était enceinte. Voilà qui l'aurait sûrement tenu à l'écart.

— Je ne voudrais pas te presser, dit-il en jetant un coup d'œil à sa montre, mais si nous voulons attraper le vol de cet après-midi, tu ferais bien de te dépêcher.

— Je ne vois aucune raison de me dépêcher. Je pensais passer Noël ici, avec Ma. Je viendrai pour le nouvel an.

Le visage de Nathan s'assombrit, et Ma elle-même fronça les sourcils.

— Je n'aime pas te savoir ici, dans ton état et dans ces conditions, déclara-t-il.

— D'autant plus que Gemma souffre de la chaleur, confirma la vieille dame.

Exaspérée, cette dernière la foudroya du regard, mais son amie haussa les épaules.

— C'est vrai, non ? Et tu as des nausées, le matin. De plus, tu n'as toujours pas consulté de médecin. Je crois que ton mari a raison. Plus tôt tu rentreras, mieux ce sera. Je vais préparer tes affaires.

Gemma dut admettre qu'elle était battue.

— C'est bon, je m'en occupe, dit-elle dans un soupir. Tu es sûr qu'il y aura une place libre dans l'avion ?

— J'ai pris la liberté de te réserver un siège.

— Pourquoi ça ? s'emporta-t-elle, irritée par tant d'assurance.

— Je pensais que je devrais te ramener à Sydney pour consulter un psychiatre, tu te rappelles ?

— Ah oui, j'avais oublié cette histoire...

— Je vais emmener M. Whitmore faire un tour pendant que tu te changes, déclara affectueusement Ma. Peut-être qu'il aimerait voir une véritable mine d'opales.

Gemma la regarda prendre le bras de Nathan et l'entraîner dehors. Ils n'avaient même pas atteint le seuil qu'ils devisaient déjà cordialement. Nathan semblait avoir fait une nouvelle conquête. Tout était si facile, pour lui...

Mais elle-même n'était plus aussi ingénue. Il ne regagnerait pas sa confiance aussi aisément. Franchement, il faudrait même un miracle pour ça !

7.

— Si nous parlions un peu, Gemma ?

L'avion venait de décoller de Lightning Ridge, et Gemma commençait à peine de se décrisper. Surprise, elle adressa un regard narquois à Nathan.

— Parler ? Ah ! C'est une première !

— Laisse tomber l'ironie, ça ne te va pas.

— Je me fiche parfaitement de ce qui me va ou de ce qui ne me va pas. Je ne ferai pas semblant d'être heureuse. Je n'apprécie pas, pour commencer, que tu m'aies forcée à rentrer si rapidement. Le temps où je faisais tes quatre volontés est révolu.

— Je le sais. Mais il y a d'autres personnes à considérer, dans cette histoire. L'enfant que tu portes sera le frère ou la sœur de Kirsty, ce qu'elle a toujours voulu. Ne pourrions-nous pas trouver un arrangement, au moins dans *son* intérêt ?

Kirsty…

Gemma n'avait pas pensé à elle et son cœur, tout à coup, se serra sous l'emprise d'une culpabilité mêlée de compassion. La pauvre avait déjà eu une année difficile depuis le divorce de ses parents, avec le remariage de son père avec une femme plus jeune qu'elle avait jusqu'alors considérée comme une amie. Lorsqu'ils annonceraient que Gemma attendait un enfant, et qu'ils divorçaient dans le même temps, Kirsty en serait bouleversée.

— La pauvre...

— Peut-être pourrions-nous retarder le divorce. Elle ne sait rien de notre séparation. Depuis qu'elle est en pension à St Brigit, elle est beaucoup plus heureuse qu'avant. Lenore n'a pas voulu lui annoncer une nouvelle qui risquait de la peiner. Surtout après les récents événements.

Gemma savait qu'il faisait allusion à la situation compromettante dans laquelle Kirsty avait trouvé sa mère et Zachary Marsden, qui se trouvait être le meilleur ami de Byron. Elle-même avait été choquée en apprenant qu'ils avaient une liaison, avant d'avoir le fin mot de l'affaire. C'était la femme de Zachary qui, tombée amoureuse d'un autre, avait demandé le divorce. La nouvelle était restée secrète car les Marsden attendaient que leur fils eût passé ses diplômes pour lancer un tel pavé dans la mare. Ils avaient en effet, durant de longues années, fait figure de couple modèle.

Gemma comprenait que ce genre de chose pût arriver, mais un divorce était toujours particulièrement triste, surtout lorsqu'il y avait des enfants en jeu. Elle était atterrée à l'idée que son propre bébé était voué, lui aussi, à pâtir d'une telle situation. A moins que le miracle tant espéré ne se produisît...

Mais un seul regard au visage froid de Nathan lui fit comprendre qu'il n'y aurait pas de miracle. Il ne pourrait jamais l'aimer comme elle le voulait, tout simplement parce qu'il n'avait pas cette capacité en lui.

Lenore lui avait dit un jour de ne pas rejeter Nathan, parce que cela le détruirait. Mais elle s'était trompée. Nathan avait été brisé bien des années plus tôt par sa propre mère, et sans doute aussi par cette garce avec laquelle il avait vécu à peine sorti de l'adolescence. Gemma en était tellement sûre qu'elle l'aurait juré sur une pile de bibles. Et si cette certitude éveillait en elle une certaine compassion et une part de compréhension pour l'homme assis à côté d'elle, cela ne changeait rien aux faits. Elle ne pouvait risquer de lui confier de nouveau sa vie.

Pour autant, elle n'avait pas le droit de faire souffrir une innocente. Kirsty ne supporterait sans doute pas un nouveau divorce.

— Je ne veux pas faire de peine à ta fille, soupira-t-elle. Je suis prête à retarder l'échéance. De toute façon, je n'ai aucune intention de me remarier de sitôt. Je ne crois pas que je retomberai dans le panneau une deuxième fois.

— C'est bien ce que je craignais. Je t'ai rendue amère.

— Amère ? Non, je ne dirais pas ça. Je suis simplement devenue réaliste. J'ai cessé de voir la vie à travers des lunettes roses. Tu devrais être content, Nathan. Dorénavant, je vois le monde de la même façon que toi.

— Et tu crois que c'est une bonne chose ? Que ça me fait plaisir ?

— En tout cas, mon côté romantique et exagérément optimiste ne te faisait pas plaisir.

— Au contraire. Tu me plaisais beaucoup telle que tu étais.

— Ça n'a pas duré longtemps.

— Nous ne pourrions pas parler d'autre chose ? dit-il d'un ton impatient.

— Comme quoi ?

— Tu sais que tes parents se sont mariés il y a deux semaines ?

— Bien sûr. Ils m'ont écrit.

— Mais tu n'es pas venue, répondit-il, presque accusateur.

— Non. Et je pense qu'ils ont compris pourquoi. Mais je leur ai téléphoné pour leur souhaiter mes meilleurs vœux. Ne me dis pas que *tu* y es allé ?

— Byron m'a demandé d'être son témoin. Je pouvais difficilement refuser.

— Malgré la femme qu'il épouse ?

— Celeste n'est pas si mal, après tout, admit-il à contrecœur.

— Je n'en crois pas mes oreilles ! railla-t-elle. Bientôt, tu vas me dire que tu me crois quand j'affirme que je n'ai pas couché avec Damian !

— Je sais que tu n'as pas couché avec lui.

Comme Gemma le dévisageait avec stupeur, il ajouta :

— Tu ne te serais pas comportée comme tu l'as fait aujourd'hui, sans cela. Je sais reconnaître une véritable indignation. Et tu ne me haïrais pas à ce point si tu n'étais pas innocente. Je suis désolé que mon cynisme et ma méfiance m'aient empêché de te faire confiance.

— A quoi joues-tu ? Toutes ces excuses me rendent nerveuse. Je ne peux pas m'empêcher de me demander ce que tu veux.

— Tu as vraiment mûri, n'est-ce pas ? murmura Nathan.

— Mieux vaut tard que jamais... La vérité, maintenant : qu'est-ce que tu veux ?

— Rien de plus que ce que j'ai dit à Ma. Que tu donnes à notre mariage, que tu *me* donnes, une seconde chance.

— Pourquoi le ferais-je ? Je ne t'aime plus.

— Un mariage peut se passer de passion et de romantisme. Je n'aimais pas Lenore, mais nous avons été raisonnablement heureux pendant douze ans. Nous avons également donné à Kirsty un foyer dans lequel grandir et s'épanouir. Tout enfant y a droit, tu ne crois pas ?

— Dois-je te rappeler que ton mariage s'est terminé au moment où Kirsty était la plus vulnérable, à son adolescence ? Dois-je également te rappeler que Lenore te satisfaisait sans doute bien plus que moi, sexuellement ? Non, Nathan, je n'ai aucune envie de me mettre dans une situation où je m'inquiéterais sans cesse de mes performances, et où je me demanderais qui tu fréquentes dans mon dos. Je peux sans doute supporter que tu ne m'aimes pas — pas que tu me trompes. A ce sujet, comment va cette chère Jody ?

— Il n'y a rien entre Jody et moi, répliqua Nathan. Mes seuls liens avec elle sont de nature professionnelle.

— Sans blague ? Comment fais-tu pour te passer de sexe ? J'ai peine à imaginer que tu y arrives.

— Tu ne me croiras donc jamais, n'est-ce pas ? Très bien, je saute sur tout ce qui bouge, si c'est ce que tu veux entendre. Satisfaite ?

— Oui. Et c'est tant mieux pour toi, parce que je ne coucherai plus jamais avec toi. Ne t'avise même pas d'essayer de me faire changer d'avis.

— Peut-être que je n'aurai rien à faire. Peut-être que tu changeras d'avis toute seule.

— Quand les poules auront des dents, oui !

— Nous verrons.

— Je te préviens, Nathan…

— Non, c'est moi qui te préviens. Ne me pousse pas à bout. Je fais de mon mieux, dans ton intérêt et dans celui de l'enfant. Mais je ne te servirai pas pour autant de bouc émissaire. D'accord, j'ai bien compris que tu ne voulais plus coucher avec moi. Mais ça ne veut pas dire que je dois aimer ça. Parce que si tu n'as plus envie de moi, pour ma part, j'ai encore envie de toi. Rien n'a changé. D'ailleurs, malgré tous tes discours, je suis sûr que je ne te laisse pas aussi indifférente que tu le prétends. J'ai vu comment tu m'avais regardé, devant chez Ma.

— Je ne nierai pas que je te trouve physiquement séduisant, répliqua-t-elle sèchement. Mais le désir sans amour ne m'a jamais attirée. Oh, je sais que tu crois que je ne t'ai jamais aimé, mais c'est ton problème, pas le mien. C'est *toi* qui es incapable d'aimer. *Toi* qui considères le sexe comme une fin en soi. Pour ma part, je trouve ça répugnant.

— Vraiment ?

Avec une apparente indifférence, Nathan lui prit la main et la porta doucement à ses lèvres. Ses yeux s'étrécirent et plongèrent dans les siens, comme il murmurait :

— Dans ce cas, je suppose que tu trouves ça répugnant...

Du bout de la langue, il traça un sillon sur sa paume ouverte. Aussitôt, une onde de sensation pure parcourut tout le corps de Gemma.

— Et ça...

Plaquant sa main contre sa bouche entrouverte, il exerça une légère succion, tandis que sa langue continuait son exquise torture. Tous les muscles de Gemma se tendirent comme elle essayait, en vain, de lutter contre le plaisir qu'il éveillait en elle.

Paniquée, elle ne cessait de se répéter de détourner la tête, d'arracher sa main à son étreinte. Mais elle resta figée, prisonnière du regard de Nathan, qui lui soufflait par son intensité toutes les autres choses qu'il aurait aimé lui faire. Les souvenirs de Gemma remontèrent à la surface, comme magnétisés par ses yeux, et elle se vit nue, pressée contre son corps sculptural, emportée par une vague de passion.

— Viens habiter avec moi, murmura-t-il d'une voix étouffée. Tu ne le regretteras pas, je te le promets.

Oh, si, elle le regretterait. Amèrement. Cela reviendrait à jeter le peu de fierté qui lui restait aux orties. Elle redeviendrait son jouet sexuel, une marionnette qui danserait au gré des secousses qu'il imprimerait à ses fils. Et même si tout son être lui intimait d'accepter cette offre, elle s'y refusait !

Lentement, au prix d'une douleur aussi bien physique que mentale, elle secoua la tête. Nathan la dévisagea avec un étonnement visible.

— Pourquoi pas ? Tu le veux tout autant que moi.

— C'est vrai. Je le veux tellement que ça fait mal.

— Je pourrais te forcer, déclara-t-il d'un ton solennel.

— Non, tu ne pourrais pas. Plus maintenant. Pas sans te conduire comme Damian. Pas sans lui ressembler. Je sais que tu *n'es pas* comme lui. Tu es un homme bon.

Il la fixa pendant un instant, visiblement pris de court par cette marque de confiance inattendue.

— Un homme bon ? répéta-t-il d'une voix étrange. Je ne sais pas. Si c'était le cas, me serais-je conduit avec toi comme je l'ai fait ?

Sa main s'était crispée si fort autour de la sienne que Gemma faillit crier. Puis, soudain, il la relâcha et détourna le regard.

— Tu es encore trop confiante. Ne me fais pas confiance. Je n'en suis pas digne.

— Tu me fais peur, Nathan…

— Parfait. La peur te permettra de rester sur tes gardes.

Gemma était à présent au comble de la confusion. Car le désir qu'il avait allumé dans son être ressemblait si fort à de l'amour que c'en était effrayant. Elle aurait voulu attirer Nathan contre elle, glisser la main dans ses cheveux, le réconforter.

Ce qui prouvait bien qu'il avait raison. Elle était encore trop naïve et prompte à faire confiance. Au moins Nathan avait-il eu l'honnêteté de l'avertir du fait qu'il ferait tout pour la séduire. Elle resterait vigilante, et s'arrangerait pour ne pas se retrouver seule avec lui davantage que nécessaire.

— Dans ce cas, reprit-elle plus posément, je souhaite que tu me préviennes lorsque tu voudras venir me voir à Avoca. Pas de visites à l'improviste.

— Très bien.

— Et je ne veux pas que tu me proposes de m'y accompagner. J'irai à Avoca avec ma propre voiture.

— D'accord, Gemma.

— Je suppose que je n'ai pas d'autre choix que de te laisser me ramener à Belleview, ce soir. Cela semblerait bizarre que je n'y aille pas. D'ailleurs, il faudra peut-être que je reste là-bas un jour ou deux. Ava sera furieuse, sinon.

— Je ne crois pas. Figure-toi qu'elle en a eu assez de rester seule dans une si grande maison et qu'elle a emménagé avec Vince. En fait, Byron m'a dit qu'il comptait mettre Belleview en vente après le nouvel an. Celeste ne veut pas vivre dans la même maison qu'Irene et, en février, Ava sera mariée.

— Quel dommage... C'est une si belle maison... Elle devrait rester dans la famille. Et Jade ? Peut-être que Kyle et elle aimeraient la reprendre. Je suppose qu'ils ne vont pas rester sur le bateau une fois que le bébé sera là.

— Byron le leur a proposé, mais ils ont déjà acheté une maison avec vue sur la mer à Castlecrag. Ils disent qu'après avoir vécu sur l'eau ils ne supporteraient pas de trop s'en éloigner. Et à dire le vrai, je ne crois pas que Belleview évoque de très bons souvenirs à Jade. Elle n'en a rien dit pour ne pas faire de peine à Byron.

— Tu sembles très au fait des derniers événements familiaux, remarqua Gemma avec un froncement de sourcils.

— Disons que Byron me tient informé. Mais je n'ai pas vu grand monde, à part au mariage.

— Que pensent les autres de… notre situation ?

— Ah, je crois qu'il faudrait leur poser individuellement la question. Ce n'est pas un sujet dont j'ai discuté avec eux. Mais je crois qu'Ava espère que nous allons nous réconcilier. Elle m'a même souri. Une fois.

— Et Jade ?

— Romantique comme elle l'est, elle a toujours cru que nous étions faits l'un pour l'autre.

— Elle a également toujours cru que tu m'aimais, lui rappela Gemma sans douceur. Et que je t'aimais aussi…

— Oui, Jade a toujours été encline à l'optimisme. J'ai eu l'impression qu'elle s'imaginait que, le temps aidant, tu me pardonnerais. Quand elle va apprendre que tu es enceinte, elle n'aura plus le moindre doute là-dessus.

— Est-ce que… est-ce que tout le monde doit le savoir ?

Son mari tourna vers elle un regard sévère.

— Pourquoi le cacherions-nous ? Tu n'as pas définitivement renoncé à avorter ?

— Bien sûr que si !

— Inutile de garder le secret, alors. La nouvelle permettra d'expliquer ton retour à la maison.

— Je ne retourne pas à la maison.

— Tu sais ce que je veux dire. Tout le monde croira que nous sommes réconciliés. Je leur dirai que tu séjournes à Avoca parce que tu as besoin de calme et de grand air, et que je te rends visite dès que possible. Ils n'auront aucun moyen de savoir si c'est vrai. Il faudra aussi que j'amène Kirsty de temps en temps, l'été arrive et tu sais comme elle aime la plage.

— Je me rappelle ce qui s'est passé la dernière fois qu'elle est venue. Tu l'as envoyée chez une amie pour pouvoir… pour pouvoir…

— Me consacrer à toi ? suggéra-t-il comme elle ne finissait pas sa phrase.

— Oui, murmura-t-elle, l'esprit plein d'images qu'elle aurait préféré oublier.

Nathan eut un soupir mélancolique, comme si lui aussi se souvenait.

— Je dois admettre que tu as toujours été une tentation irrésistible, Gemma.

Prise de court, elle ne sut que répondre. Quelle femme pouvait rester insensible à un tel compliment ? S'il continuait dans cette voie, elle allait finir par se jeter dans ses bras et le supplier de la ramener à la maison pour qu'il lui fasse l'amour !

— Je vois que tu me considères toujours comme le pire des salauds, gronda Nathan, se méprenant sur le sens de son mutisme. Le genre d'homme que seule sa propre mère peut aimer…

Et il partit d'un rire si noir et si diabolique que Gemma fut prise d'un effroyable soupçon. Non, c'était impossible. La mère de Nathan n'avait tout de même pas agi de façon aussi monstrueuse. Etait-elle allée jusqu'à… l'inceste ? se demanda-t-elle en se hérissant à ce mot.

Il était sans doute possible, même si le cas demeurait rare, qu'une mère abuse de son fils. Cela expliquerait en tout cas l'incapacité de Nathan à aimer, à faire confiance au sexe opposé, à parler de son passé.

Seigneur, si c'était vrai…

Gemma sentit une profonde émotion l'envahir, mélange de compassion et de tristesse qu'elle avait le plus grand mal à canaliser du fait de sa propre vulnérabilité. Plus elle songeait à cette idée, plus elle lui paraissait expliquer l'énigme Nathan Whitmore. Lenore avait-elle fini par soupçonner la même chose ? Elle devrait lui poser la question...

— Tu sais, remarqua-t-elle d'un ton nonchalant, tu ne m'as jamais vraiment parlé de toi. Que nous divorcions ou non, tu es le père de notre enfant, et il serait peut-être temps que tu m'en dises plus long sur ta jeunesse.

Elle lança vers lui un regard innocent, mais le froncement de sourcils qu'il lui retourna indiquait assez sa méfiance.

— Je ne crois pas que le moment soit bien choisi pour une séance de psychanalyse.

— Il ne s'agit pas de psychanalyse, répondit-elle, bien que persuadée du contraire. Je suis juste un peu nerveuse, en avion, et je pensais que ça me détendrait d'entendre des anecdotes sur ton enfance.

— Je ne crois pas que des anecdotes sur mon enfance te détendraient, déclara Nathan avec un sourire sarcastique qui ne fit que renforcer ses soupçons. Je te suggère plutôt d'essayer de dormir. Une fois à Mascot, il nous restera encore à subir les embouteillages de l'heure de pointe pour nous rendre à Belleview. A moins que tu n'aies changé d'avis, et décidé de revenir à la maison.

Elle lui répondit d'un sourire moqueur, et il haussa les épaules.

— Bon, ça valait le coup d'essayer. C'est bien de moi, d'épouser une femme de caractère. Enfin, je suppose que cela profitera à notre enfant. Surtout avec le père qu'il aura.

— Tu as été un très bon père pour Kirsty et tu le sais pertinemment.

— Peut-être. Mais nous changeons tous, Gemma. Je ne suis plus l'homme qui a épousé Lenore. Je ne suis même plus celui qui t'a épousée.

Gemma ne put qu'acquiescer. A plusieurs reprises, ces derniers temps, elle s'était surprise à considérer Nathan comme un étranger. Pourtant, si ce qu'elle supposait était vrai, de nombreuses choses pourraient être expliquées, comprises, pardonnées. Si seulement elle pouvait l'amener à s'ouvrir à elle, à lui confier ce qui lui était arrivé lorsqu'il était enfant… S'il apprenait à lui faire confiance, peut-être apprendrait-il à l'aimer. En tout cas, il était évident qu'il la désirait encore. Devait-elle le laisser lui faire l'amour dans l'espoir de…

Non !

Son esprit rejeta aussitôt cette hypothèse. Nathan s'était toujours servi du sexe comme d'un moyen pour maintenir leur relation à un niveau superficiel, pour ne rien révéler d'autre que son corps athlétique et sa technique éprouvée. Si elle acceptait de coucher de nouveau avec lui, elle ne découvrirait jamais rien. C'était au contraire en le forçant à s'en tenir à une relation platonique qu'elle avait une chance de faire évoluer les choses. Il suffisait de voir ce qu'il lui avait déjà révélé depuis qu'ils étaient dans cet avion. Aurait-il agi de même si elle lui avait cédé dès qu'il était arrivé à Lightning Ridge ?

Il y avait fort à parier que non. Il l'aurait plongée dans cette fascination d'ordre sensuel dont il se servait pour endormir tous ceux qui menaçaient de franchir sa ligne de défense…

Pour autant, il n'était pas facile de résister à l'idée de ce qu'il avait à offrir entre les quatre murs d'une chambre. Elle n'avait pas menti en affirmant que le sexe sans amour lui répugnait. Mais ce ne serait jamais le cas avec Nathan. Car si l'heure passée avait bien prouvé quelque chose, c'était qu'elle l'aimait encore.

Il était très difficile pour elle de mettre Nathan dans une position où il ne manquerait pas de lui être infidèle. Car il supportait fort mal l'abstinence, à part quand il écrivait. Mais si elle devait faire ce sacrifice pour abattre enfin le mur qu'il avait érigé autour de lui, elle y était disposée. Les miracles, après tout, avaient parfois besoin d'un petit coup de pouce.

— Que signifie ce regard ?

— Quel regard ?

— On dirait que tu attends de passer dans le fauteuil du dentiste, dit Nathan.

— Oh... Je pensais juste que j'allais devoir passer la nuit toute seule à Belleview.

— Si tu veux de la compagnie, je peux rester avec toi...

— J'imagine, oui... Mais, non merci. Je suis sûre qu'ils ont besoin de toi, au théâtre.

— Je me suis fait remplacer pour ce soir, alors je suis plutôt disponible. Et je répugne à te laisser seule dans une si grande maison vide. C'est une véritable tentation pour les cambrioleurs. Non, ne proteste pas, j'insiste.

Prise au piège, Gemma se mordit la lèvre. Avait-elle seulement le choix ?

— Très bien. Mais ne t'avise pas d'essayer quoi que ce soit.

— Je n'oserais jamais ! Pas entre les murs sacro-saints de Belleview ! D'ailleurs, ça me fait penser que nous ne l'avons jamais... fait là-bas.

Gemma ne put s'empêcher de rougir. Nathan et elle n'avaient effectivement jamais fait l'amour à Belleview, mais cela ne l'avait pas empêchée d'y penser à plusieurs reprises ! En particulier, elle n'avait pas oublié la fois où il lui avait appris à jouer au billard, et où il s'était penché sur elle pour lui apprendre à tenir la queue. Elle n'avait pu ignorer son désir viril, et Dieu seul savait ce qui se serait passé si Lenore n'était pas entrée dans la pièce.

Dieu seul savait également ce qui se passerait ce soir si elle ne restait pas sur ses gardes !

— Nous ne changerons rien à notre *statu quo,* l'avertit-elle soudain.

— Rabat-joie ! Depuis que je t'ai vue dans ce short, devant chez Ma, ma libido est hors de contrôle.

— Eh bien, contrôle-la quand même. Pourrions-nous changer de sujet, à présent ?

— Si tu insistes.

— J'insiste.

— Très bien, mais je dois avoir le dernier mot. Donc, au cas où tu changerais d'avis, n'hésite pas à me le faire savoir. Je serai à ta disposition. A présent, ferme les yeux et détends-toi. Nous avons encore une heure avant d'arriver à Sydney.

A grand-peine, Gemma retint un soupir d'exaspération. Se détendre ? Alors que tous ses nerfs vibraient d'une sourde expectative ? Et qu'en serait-il ce soir, lorsqu'elle serait seule avec Nathan, à la merci de la tentation ?

Diable, elle s'était aventurée en terrain dangereux. Comment allait-elle s'en tenir à son vœu d'une relation parfaitement platonique ? Le défi lui semblait maintenant écrasant...

8.

Il était presque 19 h 30 lorsque la Mercedes de Nathan franchit le portail de Belleview et s'engagea sur l'allée semi-circulaire qui contournait l'étang pour s'arrêter enfin au bas de la volée de marches du perron.

Avec un soupir, Gemma leva les yeux vers l'imposante façade, et son porche aux colonnes blanches évocateur d'un sud lointain. Une vague de tristesse l'envahit à l'idée que la maison allait bientôt être vendue.

— Dommage que Byron veuille s'en séparer, fit-elle remarquer avec mélancolie.

Nathan lui coula un regard pensif, avant de sourire.

— Tu te rappelles, quand tu l'as vue pour la première fois ? Tu as eu l'impression qu'elle sortait d'un conte de fées.

— J'ai changé d'avis, répliqua-t-elle un peu durement. Mais c'est toujours l'une des plus belles maisons que je connaisse. Les moments que j'y ai passés sont parmi les plus heureux de ma vie.

— Quand tu les compares à ceux que tu as vécus avec moi ?

Gemma prit une profonde inspiration, puis expira lentement. Enfin, elle se tourna dans son siège pour faire face à son mari.

— J'aurais pu être très heureuse avec toi, si tu m'avais traitée comme une épouse et pas comme une maîtresse.

— La plupart des femmes auraient tout donné pour être traitées comme toi.

— Alors, répondit-elle tristement, c'est que je ne suis pas comme la plupart des femmes. J'ai toujours considéré le mariage comme un partenariat, dans lequel mari et femme sont aussi bien amants que complices, partagent tout et n'ont pas de secrets l'un pour l'autre.

— Tu avais des secrets pour moi, pourtant, lui rappela Nathan. Tu voyais Damian en secret. Et je ne dis pas que tu couchais avec lui, ajouta-t-il en hâte comme Gemma rougissait d'indignation. Mais tu le voyais sans me le dire.

— Je ne voyais pas Damian. Il m'a parlé une fois au bal, et je l'ai croisé une seconde fois dans la rue en allant déjeuner. Ecoute, je n'ai même pas l'intention de me défendre sur le sujet. Je n'ai rien fait dont je doive avoir honte. Et si je ne t'ai pas mentionné que j'avais croisé Damian, c'est parce que je n'osais pas. C'est d'ailleurs une autre des choses que je trouvais insupportable chez toi : ta jalousie maladive. Mari et femme doivent se faire confiance. Sans confiance, un couple ne peut aller très loin.

— Dis-moi, intervint tranquillement Nathan, ai-je fait une seule chose bien durant tout le temps que tu as vécu avec moi ?

— Tu… tu faisais très bien l'amour.

— Mais apparemment, ça n'était pas assez.

— Non.

— Et ça ne te suffirait pas davantage aujourd'hui, n'est-ce pas ?

— Non.

Il ne dit rien pendant un long moment, se contentant de la fixer pendant qu'elle avalait péniblement sa salive.

Profondément troublée, elle se retint de justesse de s'humecter les lèvres du bout de la langue, mais ne put empêcher sa respiration de s'accélérer.

— Nous verrons, Gemma, déclara-t-il enfin. Nous verrons.

Elle faillit gémir de frustration lorsqu'il détourna enfin son regard magnétique, défit sa ceinture de sécurité et descendit de voiture. A n'en pas douter, la nuit allait être longue. Mais rien ne la détournerait de sa résolution. Faire l'amour était hors de question. Il pouvait même se glisser nu dans son lit, elle lui tournerait le dos !

Elle ne put s'empêcher de sourire à cette idée.

— Qu'est-ce qui te fait rire ? demanda-t-il avec humeur tandis qu'il lui ouvrait sa portière. J'ai dû manquer quelque chose. Mais tu vas sans doute partager la plaisanterie avec moi, puisque le partage importe tant pour toi.

Gemma se renfrogna et mit pied à terre.

— Le sarcasme ne te réussit pas, Nathan.

— Le célibat non plus.

— Je ne t'ai pas condamné au célibat. La mer est remplie d'autres poissons.

— Je n'ai aucune envie d'aller à la pêche. C'est une activité qui m'ennuie.

— Va chez le poissonnier, alors.

Nathan lui jeta un regard stupéfait, puis demanda :

— Tu me suggères de fréquenter les bordels ?

— Je ne suggère rien du tout. Ta vie sexuelle ne regarde que toi. A présent, veux-tu bien sortir mes bagages du coffre ? Je suis fatiguée, affamée, et j'aimerais bien rentrer.

Il cligna plusieurs fois des paupières, visiblement dérouté par ses manières autoritaires.

— Est-ce là la douce jeune femme que j'ai épousée ?

— Il faut croire que oui, répondit-elle, jubilant en silence.

Pour la première fois, elle venait de s'imposer à son mari. Le miracle était encore loin, mais elle avait le sentiment d'avoir enfin fait un pas dans la bonne direction. Tournant les talons, elle s'éloigna pour aller attendre Nathan devant la porte.

— Je ne crois pas que ce séjour à Lightning Ridge t'ait été profitable, maugréa-t-il en obéissant néanmoins, et en sortant la valise du coffre. Cette Ma est une dure à cuire. Elle m'a dit que, si je te faisais de nouveau du mal, elle viendrait me torturer avec un fouet à bétail…

Gemma ne put s'empêcher de rire, tandis qu'il lui apportait sa valise et glissait la clé dans la serrure.

— Sacrée Ma. Il lui faudra peut-être faire la queue, malheureusement. Parce que je crois que Celeste, Kirsty et Lenore aimeraient passer avant elle pour te dire leur façon de penser. Je suppose qu'Ava et Jade en seraient également ravies, au moindre prétexte que tu leur donneras. Je pourrais peut-être même appeler Melanie en Angleterre pour lui demander des idées de punition.

— Seigneur ! s'exclama Nathan avec une terreur feinte. Surtout pas ça ! Melanie me donnait la chair de poule ! J'admire ce Royce qui l'a épousée. Evidemment, à force de piloter des Formule 1, il a pris goût au risque.

— Melanie était une femme très douce, et surtout incomprise, répliqua Gemma en le dépassant et en allumant la lumière.

Aussitôt, l'immense lustre de cristal qui tombait du plafond voûté baigna l'entrée d'un éclat doré.

— J'en ai entendu dire autant de Lucrèce Borgia, maugréa Nathan. Euh…

Il hésita, lui jeta un regard plein d'espoir et demanda :

— Dans quelle chambre veux-tu que je t'installe ?

— Très drôle, Nathan. Dans la chambre que j'ai toujours occupée ici — donc, pas la tienne.

— Tu ne peux me reprocher d'essayer, soupira son mari. Mets du café à chauffer, veux-tu ? Je vais poser ta valise. Et vois ce que tu peux nous préparer à dîner.

Intentionnellement, elle ne répondit rien. Nathan fit quelques pas, puis se retourna et sourit d'un air penaud.

— S'il te plaît, ajouta-t-il.

— Puisque je vais me préparer quelque chose, je suppose que je pourrais cuisiner pour deux.

Levant les yeux au ciel, Nathan s'éloigna. Gemma resta un instant immobile, puis fronça les sourcils. Qu'était-il advenu de sa colère ? De son anxiété quant aux intentions de Nathan ? Se montrait-elle de nouveau trop crédule en s'imaginant qu'il essayait sincèrement de changer ? Qu'il regrettait vraiment ce qu'il lui avait fait subir ? Et Jody, dans tout cela ? Et les autres femmes qu'il avait sans doute vues depuis ? Allait-il y renoncer et lui montrer par son abstinence qu'il tenait à *elle*, son épouse ?

Non. Ce dernier point, en tout cas, lui paraissait peu probable. Le célibat, il l'avait avoué lui-même, ne lui réussissait pas. Depuis longtemps, elle supposait que le sexe était un exutoire autant émotionnel que physique pour lui. Voilà pourquoi il pouvait s'en passer lorsqu'il écrivait. Parce qu'il mettait alors toutes ses émotions dans ses personnages.

Lentement, Gemma se dirigea vers la cuisine, allumant les lumières au passage et se demandant comment elle pourrait pousser Nathan à se remettre à écrire. Car cela lui permettrait de concilier abstinence et fidélité. Elle traversait le salon, examinant le problème sous toutes ses coutures, lorsqu'elle entendit un son vaguement familier, mais qu'elle ne put identifier qu'en l'entendant se répéter quelques instants après.

C'était un chien, qui gémissait piteusement. Surprise, elle regarda autour d'elle mais ne vit rien.

Le gémissement se fit entendre de nouveau, faible, bouleversant. S'approchant d'une porte-fenêtre, Gemma tira les rideaux et aperçut, à l'extérieur, un énorme chien qui ne ressemblait à aucune race qu'elle connaissait. Ses grands yeux bruns se posèrent sur elle, et il geignit de nouveau.

— Oh, mon pauvre...

L'animal était aussi grand qu'efflanqué. Il évoquait un danois, mais devait être le produit d'un croisement. Il ne portait pas de collier, ce qui laissait supposer qu'il avait été abandonné. La lumière avait dû l'attirer.

— Attends ici, dit-elle. Je reviens.

Puis elle se précipita vers l'escalier, et appela :

— Nathan ! Nathan, où es-tu ? Viens vite !

Quelques secondes plus tard, il dévala l'escalier en trombe et faillit lui rentrer dedans.

— Quoi ? Qu'est-ce qui se passe ? demanda-t-il, hors d'haleine.

— J'ai besoin des clés. Il y a un pauvre chien dehors. Il faudrait le faire rentrer et lui donner quelque chose à manger.

Avec un soupir exaspéré, Nathan l'agrippa par les épaules.

— Un chien ? Tu manques de me donner une attaque cardiaque pour un chien ? Je croyais qu'il était arrivé quelque chose !

— Mais il est arrivé quelque chose ! Un monstre a abandonné ce chien. Il faut que tu le voies. Il est tout maigre et tout pelé et... et...

— Et probablement plein de puces. Quant à le laisser entrer, il n'en est pas question, ou il ne s'en ira plus jamais.

— Mais... mais..., bredouilla-t-elle en posant sur son mari de grands yeux incrédules, nous ne pouvons pas le laisser comme ça.

— Bien sûr que si. Ignore-le et il s'en ira.

— C'est peut-être ce que tout le monde fait, déclara-t-elle en proie à un soudain accès de colère, mais ce n'est pas ce que *je* vais faire. Je ne te demande pas la permission, Nathan. Donne-moi les clés.

Sur ce, elle tendit la main.

— Mais tu pars à Avoca demain !

— J'emmènerai ce chien avec moi.

Nathan hésita, puis leva un regard implorant vers le ciel.

— Mais pourquoi faut-il que j'aie épousé la femme qui ne fait rien comme tout le monde ? Bon, montre-moi cette bête...

Elle désigna la fenêtre du salon, et Nathan s'en approcha tranquillement avant de se figer.

— Bon sang, mais il a la taille d'un cheval ! Et regarde ces dents !

En le voyant, l'animal s'était en effet mis à grogner, sans doute effrayé. Prenant les clés des mains de son mari, Gemma s'approcha de la fenêtre et entreprit de la déverrouiller.

— Si tu dois lui faire peur, lança-t-elle par-dessus son épaule, reste derrière. Je n'ai pas besoin d'aide. Je me suis occupée de chiens bien plus féroces que celui-là.

La porte s'ouvrit, et elle tira le battant. Elle regretta aussitôt de l'avoir fait si brutalement, car le chien détala pour aller se réfugier dans l'ombre, à l'autre extrémité de la terrasse.

— Tu vois ? dit Nathan. Il ne veut pas entrer.

— Arrête de dire n'importe quoi. Tu n'as pas eu de chien quand tu étais petit ?

Elle regretta aussitôt d'avoir dit cela. Bien sûr que non, il n'avait pas eu de chien. Il n'avait même pas eu vraiment de domicile fixe.

— Eh non, répondit son mari, qui ne parut heureusement pas trop affecté par la question. J'ai eu des poissons rouges, une fois, mais l'un des amis de ma mère avait l'habitude de jeter ses cigarettes dans leur aquarium. Ils sont vite montés au Grand Aquarium céleste.

Gemma sourit, tout en enregistrant l'information. Nathan lui en avait davantage révélé sur lui-même en une journée qu'en six mois de mariage.

— Et Kirsty ? demanda-t-elle. Elle n'a jamais voulu de chiot pour Noël ?

— Non. Son rocher domestique lui suffisait.

— Un rocher domestique ?

— Oui, c'était la mode à Sydney, à une époque. Les parents adoraient ça. Un rocher requiert très peu d'entretien, tu sais.

Puis Nathan fronça les sourcils, et enchaîna :

— Tu comptes rester plantée éternellement devant la fenêtre ou aller chercher cette chose ?

— Je laisse la chose, comme tu dis, s'habituer à ma présence. Je ne veux pas le brusquer.

Pendant ce temps, toujours à distance respectable, le chien s'était assis et les étudiait prudemment de ses grands yeux bruns. Gemma décida de s'asseoir, consciente que la confiance d'un animal ne se gagnait pas en un claquement de doigts.

— Va t'occuper du repas, Nathan. Je sais qu'Ava a toujours un ou deux steaks d'avance au congélateur.

— Bonne idée. Je ne dirais pas non à un steak.

— Ce n'est pas pour toi, idiot.

— Ah ! C'est bien ce que je soupçonnais, mais j'ai voulu tenter ma chance. Peut-être que je trouverai assez à manger pour nous autre humains et pour Mâchoire.

Le chien grogna d'un ton menaçant à la mention de ce nom. Un nom plutôt bien choisi, estima Gemma après réflexion. Il était vrai qu'elle n'avait jamais vu de telles dents. Même Blue faisait pâle figure en comparaison de Mâchoire.

Elle se détendit en songeant à son précédent chien et, appuyant ses coudes sur ses genoux, posa son menton au creux de ses mains. Si elle avait appris quelque chose avec Blue, c'était à éviter les mouvements brusques.

— Je crois que quelqu'un t'a traumatisé, dit-elle sur le ton de la conversation. Pourtant, c'est sans doute toi qui leur faisais peur. Mais je suis sûre que tu es doux comme un agneau, n'est-ce pas ?

Pendant qu'elle parlait, l'animal s'approcha lentement, la langue pendante. Doucement, Gemma posa ses avant-bras sur ses genoux pour qu'il puisse lui renifler les mains. Cela prit un instant, mais il fourra bientôt son museau humide contre sa paume.

— Tu es sûre qu'il ne mord pas ?

La soudaine réapparition de Nathan ainsi que le ton de sa voix firent bondir le chien en arrière. De nouveau, il montra les dents. Non sans agacement, Gemma leva la tête vers son mari.

— Tu avais besoin de lui faire peur ?

— C'est ma faute si c'est un froussard, sous ses allures de fauve ?

— Tu as trouvé du steak ? demanda-t-elle dans un soupir.

— Il n'y a que de l'entrecôte.

— Ça ira très bien à Mâchoire.

— De l'entrecôte ? Pour un chien ? Je…

Puis il s'interrompit brusquement, et fronça les sourcils.

— Mâchoire ?

— C'est son nom. C'est toi qui l'as baptisé comme ça. C'est approprié, non ?

— Certes. Tu comptes toujours l'emmener à Avoca avec toi ?

— Bien sûr. Il fera un merveilleux chien de garde.

— Oui, sans doute. Je n'avais pas pensé à ça…

Le visage de Nathan s'éclaira soudain, et il eut un hochement de tête approbateur.

— Très bien. Tu peux l'emmener.

— Merci, Votre Altesse.

— Comment sais-tu qu'il n'appartient à personne ? demanda son mari, ignorant la pique.

— Il a l'air d'appartenir à quelqu'un ? Et si c'est le cas, je ne le rendrai pas à un tel maître, crois-moi !

— Il va falloir le faire examiner par un vétérinaire.

— Bien sûr.

— Et lui acheter un collier et une laisse.

— Nous en achèterons dès demain à la première heure.

— Tu es aussi têtue que le dit Ma, maugréa Nathan.

— Et toi, tu n'as pas intérêt à essayer de me faire changer d'avis !

Il sourit en signe de capitulation, et demanda :

— Mâchoire aimerait son entrecôte coupée en petits cubes ou en lanières ?

Avant de se rendre compte de la bêtise de son geste, Gemma noua ses bras autour du cou de Nathan en l'embrassant. Aussitôt, il la saisit par la taille et l'attira contre lui en un baiser qui n'avait rien de la marque de reconnaissance affectueuse qu'elle avait voulu lui accorder. Comme la pression de ses lèvres sur les siennes augmentait, Gemma voulut reculer, mais il glissa une main derrière sa nuque et lui retint la tête sans effort. Une seconde plus tard, sa langue s'enroulait autour de la sienne…

A ce stade, le corps de Gemma cessa de lutter, et son conflit ne fut plus qu'intérieur. Et encore, il lui fallait batailler pour tenter de se rappeler toutes les bonnes raisons qu'elle avait trouvées pour se refuser à lui. Les sensations extatiques qui la parcouraient en cet instant faisaient passer cette décision pour stupide et masochiste. Pourquoi ne pas s'abandonner simplement à l'homme qu'elle aimait ? Pourquoi ne pas se laisser entraîner dans ce monde de plaisir qu'il créait pour elle ? Tout ce qu'elle avait à faire, c'était de fermer les yeux et de s'abandonner.

Déjà, son esprit la précipitait vers le moment où elle serait étendue sous lui, où les lèvres qui ravageaient les siennes rôderaient sur son corps et l'affoleraient, tourmentant ses seins, son ventre, ses cuisses.

Un soupir d'abandon franchit ses lèvres, auquel Nathan répondit par un son rauque. Ivre de désir, Gemma s'agrippa plus farouchement à sa nuque tandis que son esprit sombrait dans l'oubli.

Alors la cavalerie vint à la rescousse. Sans crier gare, Mâchoire déboula dans le salon et vint planter ses dents dans le mollet de l'homme qui agressait sa nouvelle amie.

9.

Le bras de Gemma bascula par-dessus le rebord du canapé où elle avait passé la nuit, et ses doigts rencontrèrent quelque chose de chaud et de poilu. Ce quelque chose avait aussi une langue très baveuse.

— Beurk, grogna-t-elle en frissonnant, mais en se forçant à ne pas retirer sa main.

Elle ouvrit enfin les yeux, à quelques centimètres d'une énorme tête noire. Etouffant un bâillement, elle se redressa et gratta le chien entre les deux oreilles.

— Eh bien, Mâchoire ? Je suppose que je devrais te remercier, pas vrai ? Alors pourquoi ai-je envie de te tordre le cou ?

Mais elle avait dit tout cela en souriant d'un air affectueux, et l'animal se mit à battre de la queue contre le tapis comme un tambour-major.

— Une chance que tu n'aies pas fait de mal à Nathan, hein ? Sans quoi je n'aurais pas donné cher de ta peau.

Mâchoire n'avait en effet mordu que dans le pantalon, ce qui avait laissé à Nathan le temps de se retourner et de l'injurier copieusement. L'animal, dont la couardise dépassait de loin le courage, avait aussitôt décampé sur la terrasse. Nathan avait claqué la porte derrière lui avant de se retourner vers Gemma, visiblement dans l'espoir de reprendre là où ils s'étaient arrêtés. Mais la magie du moment s'était dissipée, à la grande frustration de ce dernier.

— Je crois qu'il ne te porte pas dans son cœur, murmura-t-elle à Mâchoire. Si j'étais toi, je me tiendrais à carreau.

Le chien se raidit soudain, tandis qu'un grondement sourd montait du fond de sa gorge. Gemma pivota et, par-dessus le bord du canapé, vit la poignée de la porte tourner. Une seconde plus tard, Nathan passait la tête par l'entrebâillement. Mâchoire se redressa d'un bond, tremblant d'hésitation.

— Aurais-tu l'amabilité de mettre ce monstre dehors ? J'aimerais prendre mon petit déjeuner.

Gemma fit de son mieux pour réprimer un sourire.

— Attends une seconde.

Agrippant sa robe de chambre, elle se hâta de la passer pour dissimuler la chemise de nuit aussi courte que transparente que Nathan avait apportée pour elle. Puis elle alla ouvrir au chien, qui ne se fit pas prier pour aller gambader dans le parc.

— Tu peux entrer ! lança-t-elle.

Nathan pénétra dans le salon, vêtu d'un jean et d'un T-shirt blanc, ses cheveux blonds encore humides de la douche qu'il venait de prendre. Il paraissait bien plus maître de lui que lorsqu'il avait quitté cette même pièce en coup de vent, la veille au soir, mais il semblait aussi dangereusement séduisant. Tout en le suivant vers la cuisine, Gemma en déduisit qu'il lui fallait partir au plus vite à Avoca.

— Tu as bien dormi ? demanda-t-elle, jugeant que des banalités valaient mieux que le silence pesant qui s'était installé entre eux.

— Ne pose pas de questions idiotes, grommela-t-il en saisissant brusquement la bouilloire. Bien sûr que non je n'ai pas bien dormi.

— Oh…

Il la foudroya du regard, avant de baisser les yeux vers les quelques centimètres carrés de dentelle que révélait le V de sa robe de chambre.

— J'allais te proposer généreusement de te conduire à Avoca, vu que tu ne connais pas le chemin, mais après le fiasco d'hier, je préfère m'abstenir.

— Oh, répéta-t-elle.

Elle avait fait de son mieux pour dissimuler son dépit, en vain. Déroutée, elle baissa les yeux, forcée d'admettre que sa résolution de tenir son mari à distance faiblissait d'instant en instant.

Quand elle releva enfin la tête, Nathan la dévisageait avec une telle intensité qu'il lui sembla être transpercée d'un coup d'épée.

— Si tu veux que je t'accompagne, déclara-t-il brusquement, dis-le franchement. Idem si tu veux que je reste un peu à Avoca. J'ai un assistant qui s'occupera très bien de la pièce en mon absence.

— Qu'est-ce qui te fait croire que je voudrais que tu restes ? demanda-t-elle, faisant de son mieux pour paraître surprise. Ne te méprends pas sur ce qui s'est passé hier soir. Tu m'as embrassée et j'ai répondu, mais je m'apprêtais à tout arrêter au moment où Mâchoire t'a mordu.

Un sourire moqueur aux lèvres, Nathan leva un sourcil en accent circonflexe.

— Tu espères que je vais gober ça ?

— Crois ce que tu veux, répliqua-t-elle d'un ton hautain. Je n'ai aucune intention de revenir sur ce que j'ai dit. Notre mariage n'est que de pure forme. Nous ne coucherons donc pas ensemble.

— Je vois. Il va donc falloir que j'en tire les conclusions nécessaires, et que je prenne des dispositions pour ne pas devenir complètement fou de frustration.

Gemma pâlit, mais redressa courageusement le menton.

— Je te l'ai déjà dit : je n'exige pas de toi que tu vives comme un moine. J'espère seulement que tu sauras... te montrer discret.

— Discret ? C'est donc tout ce qui te préoccupe ? Que je sois *discret* ?

Gemma sentit qu'il la coinçait peu à peu, et qu'elle allait bientôt lâcher toute la vérité s'il continuait ainsi. Non, elle ne voulait pas qu'il vît d'autres femmes ! Elle l'aimait, de toutes ses forces. Mais son but était de gagner son amour, non son désir. Et si elle devait pour cela prendre le risque qu'il allât voir ailleurs, elle était prête à le courir !

— Mais qu'est-ce que tu attends de moi ? rétorqua-t-elle furieusement. Tu m'as fait souffrir, Nathan. Tu m'as blessée. Je ne vais pas te revenir comme ça, juste parce que tu claques des doigts. Je veux que tu me prouves que je compte pour toi. Que je suis davantage qu'un corps. J'ai des sentiments, là-dedans, renchérit-elle en se frappant le cœur. Et un bébé ici, murmura-t-elle, posant plus doucement une main sur son ventre. Cet enfant a besoin d'un père qui respectera sa mère, qui la considérera comme autre chose qu'une simple partenaire sexuelle.

— Je ne te considère pas comme une simple partenaire sexuelle, fit-il valoir avec raideur.

— Oh, vraiment ? Dans ce cas, tu m'excuseras de devoir te dire que ton comportement laisse à penser le contraire ! Tu m'as toujours donné l'impression de ne t'intéresser qu'à mon corps. Même aujourd'hui, malgré tout ce que nous avons traversé et le fait que j'attends un enfant ! Oh, je sais bien pourquoi. C'est un moyen pour toi de fuir le passé, le présent et l'avenir ! Quand nous faisons l'amour, c'est tellement extraordinaire que le sexe devient une drogue, une fin en soi. Mais je ne peux plus me permettre ce genre d'échappatoire,

Nathan. Je vais être mère. J'ai d'autres priorités, désormais : la sécurité, la stabilité, entre autres. Prouve-moi que je peux compter sur toi en tant que mari et père, et tu auras tout le sexe que tu voudras !

Nathan resta un long moment silencieux, le visage fermé comme lorsqu'il se refusait à trahir ce qui se passait dans son esprit.

— Beau discours, dit-il enfin d'une voix parfaitement posée. Dis-moi juste une chose avant que je sorte de cette maison. Est-ce que tu m'aimes encore ?

Gemma hésita, répugnant à mentir mais se refusant tout autant à lui avouer la vérité. Cela pouvait ruiner tous ses plans.

— La dernière fois que je t'ai dit que je t'aimais, tu m'as répondu que tu ne me croyais pas, que je ne savais pas ce qu'était l'amour.

Malheureusement, Nathan ne fut pas dupe de sa tentative d'éluder la question.

— Ne joue pas avec moi, Gemma. Je veux la vérité, et je la veux maintenant.

A la dernière seconde, elle songea à une chose que lui avait dite Ma, et bredouilla :

— Comment peut-on aimer quelqu'un que l'on ne connaît pas ?

Cette fois, la diversion fonctionna.

— Qu'est-ce que ça veut dire ?

— C'est pourtant clair, Nathan. Je ne te connais pas, pas vraiment. Je ne sais rien de tes espoirs, de tes manques, de tes rêves. J'ignore tout de ce qui t'a fait souffrir, autrefois, et qui explique certains de tes réactions ou propos. Je ne te connais qu'en surface. Je connais la chair qui recouvre tes os. Une chair fort bien disposée, et dont tu te sers à merveille au lit. Peut-être suis-je toujours amoureuse de cette surface. Mais de celui que tu es vraiment ? Je ne sais pas.

Une fois ces mots prononcés, Gemma fut déroutée par leur véracité. Il était possible que ses réactions épidermiques à la présence de Nathan n'eussent rien à voir avec de l'amour. Peut-être ne s'agissait-il que d'alchimie physique. Seigneur, elle était complètement perdue…

— J'aurais mieux fait de ne pas poser la question, dit Nathan. Tu es sûre que tu veux cet enfant, Gemma ? Je ne supporte pas d'imaginer qu'un bébé puisse souffrir d'un de mes débordements. Je ne t'ai jamais dit formellement à quel point j'étais navré de ce qui s'était passé ce jour-là. Je n'ai aucune excuse. Ce que j'ai fait était absolument impardonnable.

— Arrête, Nathan. Je t'ai déjà pardonné. Combien de fois devrai-je te le dire ? Si je t'ai donné l'impression que je ne désirais pas cet enfant, à Lightning Ridge, je m'en excuse. Je ne voulais simplement pas que mon bébé traverse la même chose que moi. Je sais ce que c'est, et toi aussi, de n'avoir qu'un parent. Mais je ne ferai jamais souffrir cet enfant à cause de la façon dont il a été conçu. Et si je m'en étais crue capable, alors j'aurais envisagé d'avorter. Mais ça ne m'a même pas traversé l'esprit.

— Dieu merci. J'étais vraiment inquiet.

— Alors pourquoi ne pas l'avoir dit, tout simplement ?

— Pardon ?

— Pourquoi ne pas m'avoir dit que tu étais inquiet ? C'est ce que font les couples, en général. Ils partagent leurs inquiétudes.

Nathan inclina la tête de côté, comme pour réfléchir à une idée qui le déconcertait visiblement. Gemma estima qu'il était temps de changer de sujet.

— Tu comptes faire du café avec cette bouilloire ? ironisa-t-elle en souriant.

Nathan hésita, plus médusé encore, puis parut sortir de sa léthargie et, après avoir branché la bouilloire, entreprit de sortir ce qui était nécessaire au petit déjeuner.

— Il faudra que tu me dessines une carte, déclara Gemma d'un ton dégagé, prenant place sur un tabouret. Puis je t'enverrai acheter un collier et de quoi manger à Mâchoire. Et après cela…

Gemma parvint à occuper Nathan jusqu'au moment où elle monta en voiture et lui fit un signe d'adieu par la fenêtre. Elle se sentait un peu nerveuse à l'idée d'aller à Avoca seule pour la première fois, au risque de se perdre en route, mais elle se refusait à le montrer à Nathan. Il était important de lui faire voir qu'elle pouvait parfaitement se débrouiller seule, et qu'elle n'était pas une gamine sans défense qui paniquait à la moindre complication.

Nathan se montra cependant réticent à la laisser partir, et lui promit de venir dès le samedi suivant avec Kirsty. Ce n'était que dans trois jours mais, comme Belleview disparaissait dans son rétroviseur, Gemma se surprit à considérer ce délai comme une éternité.

Le trajet s'avéra particulièrement ennuyeux, d'autant plus que Mâchoire refusa de rester tranquillement allongé sur le siège arrière et ne cessa de lui baver dans le cou. Il était évident qu'il n'avait pas l'habitude de la voiture, et que sa salivation anormale était un effet de sa nervosité. Gemma était résolue à se montrer patiente avec lui, mais elle se serait volontiers accommodée d'un passager moins pénible.

Pour couronner le tout, elle s'égara à deux reprises. Ou plus exactement, elle manqua deux embranchements et s'en rendit compte quelques centaines de mètres plus loin, ce qui l'obligea à des manœuvres acrobatiques sur les routes de la région. Ce fut avec un intense soulagement qu'elle s'engagea enfin dans Avoca.

La maison n'était plus qu'à quelques minutes de voiture, et elle s'autorisa un coup d'œil vers l'océan qui s'étendait à la gauche de la route traversant la petite ville côtière. Tout était calme, mais Avoca s'animerait le week-end venu de hordes de surfeurs et de citadins venus goûter aux charmes de la mer. Gemma n'appréciait guère cette idée, préférant à toute cette agitation le calme auquel Lightning Ridge l'avait habituée. Mais la maison était grande, après tout, et rien ne l'obligerait à sortir si elle n'en avait pas envie.

Le vieux cinéma, fierté de la ville et signe qu'elle était presque arrivée, apparut enfin. Elle poussa un soupir de soulagement, songeant au verre d'eau fraîche dont elle rêvait depuis quelques kilomètres.

— Et je vais pouvoir me débarrasser de toi ! dit-elle à Mâchoire.

Comme d'habitude, l'intéressé lui répondit d'un coup de son énorme langue. Cette fois, cependant, Gemma ne put contenir un mouvement d'irritation.

— Ça suffit !

Elle le regretta aussitôt lorsque l'animal se réfugia, tout penaud, contre le dossier de la banquette arrière.

— Pardon, Mâchoire. Tu peux me baver dessus autant que tu veux. Allez, viens. Là, c'est ça. Bon chien. Non, corrigea-t-elle en riant. Tu n'es pas un bon chien. Tu es un énorme sac à puces pelé et trois fois trop grand, mais je suppose que je n'ai pas le choix !

Mâchoire lui répondit par un « Ouaf ! » sonore qui faillit lui crever les tympans. Dieu merci, ils arrivèrent à la maison, et elle s'engagea sur la rampe de béton qui montait jusqu'au garage.

— Je te suggère de réserver ces aboiements pour les cas d'urgence, marmonna-t-elle. Sans quoi, les voisins risquent de porter plainte pour tapage.

Faire sortir le chien de la voiture s'avéra presque aussi difficile que de l'y faire entrer. Une fois dehors, cependant, Mâchoire se détendit et se mit à gambader dans le jardin, dans lequel Gemma fut ravie de l'abandonner après lui avoir donné de quoi manger et boire. Puis elle entreprit d'ouvrir la maison qui, inoccupée depuis plusieurs semaines, sentait un peu le renfermé.

En général, lorsque Nathan désirait se rendre à Avoca, il téléphonait une semaine avant à une femme de ménage du coin qui nettoyait tout et veillait à ce que placards et réfrigérateur fussent approvisionnés. Gemma s'y était pour sa part refusée. Elle aurait déjà assez peu à faire pour ne pas se priver de ce prétexte à s'activer un peu ! Elle avait également dit à Nathan qu'elle se chargeait d'appeler la société qui s'occupait de la piscine, afin de nettoyer le bassin des algues qui auraient pu s'y développer.

Elle venait à peine d'ouvrir les volets du salon, et de décider que le déchargement de ses affaires pourrait attendre qu'elle se fût servi un grand verre d'eau, lorsque le téléphone sonna. Elle sut qu'il s'agissait de Nathan avant même d'avoir décroché.

— Oui, Nathan, déclara-t-elle tout de go. Je suis bien arrivée.

— Comment savais-tu que c'était moi ?

— Par transmission de pensée ! Franchement, qui voulais-tu que ce soit d'autre ? Tu es le seul à savoir que je suis de retour de Lightning Ridge, et plus encore que je me trouve à Avoca !

— J'aurais pu appeler Ava et Jade pour le leur dire.

— Tu l'as fait ?

— Non, parce qu'alors j'aurais dû expliquer pourquoi tu n'étais pas avec moi.

— Je croyais que tu comptais prétendre que je n'étais pas très bien, et que j'avais besoin de repos.

— Oui, mais j'ai réfléchi. On m'accuse déjà d'être un monstre insensible et égoïste, et je n'ai pas envie d'aggraver mon cas en donnant l'impression que je ne m'occupe pas de toi ! Non, si tu veux bien, je vais garder le secret de ton retour pour l'instant.

— Tu seras bien obligé de le dire à Kirsty si tu viens avec elle samedi.

— J'espérais que tu changerais d'avis à ce sujet et que tu me laisserais venir seul. Je te donne ma parole d'honneur d'être sage.

« Mais l'enfer est pavé de bonnes intentions », songea Gemma. Et Nathan n'était pas le seul susceptible de faire une bêtise ! Elle se méfiait en effet presque autant de ses propres faiblesses que des manœuvres de son mari.

— Gemma ?

Un soupir de résignation s'échappa de ses lèvres. Pouvait-elle rejeter sa requête alors qu'il s'était montré si gentil avec elle, qu'il avait clairement tenté de s'amender ? Non, bien sûr... Mais cela ne voulait pas dire pour autant qu'elle était stupide au point de le laisser passer la nuit dans cette même maison où il lui avait fait l'amour pour la première fois !

— Très bien, Nathan. Mais je ne veux pas que tu dormes ici. Si tu venais dimanche ? Je te préparerai un bon rôti.

Gemma, à son silence, comprit qu'il était déçu. Mais elle était décidée à ne pas céder.

— Merci de cette offre généreuse, dit-il avec une pointe d'acidité. Mais si je dois ne venir qu'une journée, je ne veux pas que tu la passes à cuisiner. Je réserverai une table quelque part.

Encore mieux ! Un endroit public était infiniment plus sûr que la maison. Car Nathan avait prouvé à plus d'une reprise qu'il n'avait besoin ni d'une chambre, ni de la faveur de la nuit pour laisser libre cours à ses pulsions !

— Comment va Mâchoire ? reprit-il brusquement. Le pauvre n'avait pas l'air ravi de monter en voiture.

— Il a été insupportable, mais ça va mieux.

— Tu aurais dû me laisser l'emmener à la SPA.

— Hors de question. Tu sais très bien que personne n'aurait voulu d'une aussi grosse bête. Ils auraient fini par le piquer.

— Hmm, tu as sans doute raison… Bon, je ferais bien d'y aller. Il faut que je passe au théâtre voir quelle calamité mineure sera arrivée en mon absence !

— Je croyais que tu faisais entièrement confiance à ton assistant ?

— J'ai menti.

Gemma éclata de rire, et il reprit :

— Je rappellerai demain pour voir comment tu te débrouilles.

— Ne t'inquiète pas si tu ne me trouves pas. Il faut que je passe chez le vétérinaire, et j'ai des courses à faire.

— N'oublie pas l'obstétricien.

— Ne t'inquiète pas.

— Je ne m'inquiète pas.

— Oh si ! A présent, dis au revoir et raccroche.

— Il n'y a pas à dire, tu sais faire sentir à un homme qu'il est désiré…

Gemma fut ravie qu'il ne puisse pas la voir en cet instant. Car pour le désirer, elle le désirait ! Et elle était sûre que tout son corps s'en faisait l'écho malgré elle. Ce dimanche allait mettre ses nerfs à rude épreuve !

— Raccroche, Nathan, répéta-t-elle d'une voix sourde.

— C'est bon, j'ai compris !

Et il raccrocha.

10.

Gemma, qui s'était toujours considérée comme une solitaire, fut surprise de constater à quel point la solitude lui pesait. Il était vrai qu'entre Stefan et Ma, puis plus tard Byron, Ava, Celeste et Nathan, elle n'avait jamais vraiment eu l'occasion de passer vingt-quatre heures d'affilée toute seule. Le vendredi soir, elle autorisa même Mâchoire à rentrer et à dormir dans sa chambre tant elle s'ennuyait !

Pourtant, la compagnie de Mâchoire ne comblait pas son besoin d'une présence humaine. Elle s'était surprise à bavarder plus longtemps que nécessaire avec le vétérinaire, le médecin, ainsi que divers vendeurs. Les coups de fil de Nathan lui étaient devenus aussi indispensables que l'air qu'elle respirait, et elle essayait systématiquement de les prolonger le plus longtemps possible. Avec un succès mitigé en général, Nathan n'étant guère loquace.

Le samedi venu, Gemma brûlait d'impatience de revoir son mari. Les risques inhérents à sa présence lui paraissaient désormais secondaires en regard de la distraction que lui fournirait son arrivée. Elle avait fini par accepter le fait qu'elle s'ennuyait à mourir, toute seule, et qu'il lui faudrait trouver des choses à faire pour meubler les longues heures de ses interminables journées. A défaut, elle finirait par raquer et retourner vivre avec Nathan. Une éventualité qui, déjà, lui paraissait dangereusement séduisante…

A 9 heures, ce jour-là, elle se mit en route pour Erina Fair, le plus grand centre commercial de la région, à dix minutes à peine d'Avoca. Là, elle passa la matinée à chercher une tenue à porter le lendemain, puis se laissa tenter par une machine à coudre et de quoi fabriquer des vêtements de grossesse. Elle acheta également une sélection de romans et, sur le chemin du retour, s'arrêta pour s'abonner au vidéo-club local et louer deux comédies.

Quand elle revint à la maison, Mâchoire l'accueillit d'un aboiement sonore, et elle espéra qu'il n'avait pas donné de la voix en son absence. Pour se faire pardonner de l'avoir laissé seul, elle joua un moment avec lui dans le jardin, puis lui ouvrit une boîte de conserve qu'elle mélangea dans sa gamelle avec du riz soufflé. Elle passa ensuite deux heures à se familiariser avec sa nouvelle machine à coudre pendant que Mâchoire, rassasié, ronflait dans un coin du salon. Elle avait suivi un atelier de couture, à l'école, mais cela remontait à un certain temps et ses souvenirs n'étaient plus très frais. De plus, pendant leur vie commune, Nathan avait veillé à ce qu'elle n'eût pas à faire le moindre travail d'aiguille. Il lui avait acheté ses robes dans les meilleurs magasins de Sydney, et lui en avait même fait tailler une sur mesure à l'occasion du bal donné par Byron pour la vente de l'Opale noire.

Comme chaque fois qu'elle songeait à cette soirée, elle se rembrunit. Car elle ne pouvait s'empêcher d'y associer le nom de Damian, puisque c'était là qu'elle l'avait rencontré pour la première fois. Même aujourd'hui, elle peinait à cerner le personnage. Avait-il toujours été aussi mauvais ? Ou l'était-il devenu ? Il n'était pas inconcevable, en effet, qu'il eût été corrompu par sa demi-sœur, Irene. Cette dernière s'était montrée capable du pire, et avait peut-être façonné l'être méprisable qu'il avait été.

Ce qui l'amenait à songer à la relation de Nathan et d'Irene. Que s'était-il *vraiment* passé entre eux ? Elle ne les soupçonnait plus, désormais, d'avoir couché ensemble. Mais Nathan avait dû faire quelque chose pour pousser Irene à mentir aussi vicieusement sur son compte. Peut-être lui avait-elle fait des avances qu'il avait repoussées. Oui, ce n'était pas improbable, et cela collait avec ce qu'elle savait d'eux. Elle pourrait peut-être en parler à Nathan le lendemain.

Si du moins elle osait.

Sourcils froncés, Gemma quitta la table du salon sur laquelle elle s'était installée. Le fait de penser à Damian et Irene la troublait, car elle redoutait secrètement que Nathan fût du même bois qu'eux. Elle-même était une jeune femme honnête, simple et directe, peu versée dans l'art du mensonge et de la dissimulation. Il n'était pas facile pour elle d'affronter une personnalité aussi sombre et complexe que celle de son mari. Elle détestait ne pas savoir à qui elle avait affaire.

C'était décidé : elle l'interrogerait sur Irene dès demain. Peut-être même s'enhardirait-elle à lui poser d'autres questions. Sur sa mère, par exemple.

Presque terrifiée à cette idée, elle déglutit nerveusement. Non, il n'était sans doute pas prudent d'aller aussi loin.

A 6 heures, elle était assise devant la télévision, à dévorer un hamburger fait maison accompagné de chips. Elle avait oublié ses scrupules en songeant qu'elle mangeait pour deux. Et puisque son séjour à Lightning Ridge lui avait fait perdre plusieurs kilos, elle pouvait bien s'autoriser quelques excès. Pour l'instant, seuls ses seins avaient grossi et gagné une taille. Mais le médecin qu'elle avait vu cette semaine lui avait assuré que c'était chose parfaitement normale.

Par association d'idées, elle songea à la tenue qu'elle avait achetée pour son déjeuner du lendemain avec Nathan. Si elle ne voulait pas coucher avec lui, à quoi bon le provoquer ? Car la robe en question, dotée d'un balconnet intégré, se portait sans soutien-gorge. Le décolleté aurait fait pâlir d'envie bien des pin-up. Il y avait certes un petit boléro pour compléter l'ensemble, mais il était taillé de manière à ne pas tout dissimuler et, pire encore, à exciter l'imagination.

Gemma venait de décider de ne pas la porter, après tout, lorsque le visage de Nathan apparut sur l'écran de télévision. Stupéfaite, elle s'arrêta de manger, la fourchette à mi-chemin entre sa bouche et son assiette. La caméra du reporter se déplaça et révéla une blonde au sourire suave, bras dessus bras dessous avec son époux.

— Je suis tellement excitée ! minaudait-elle. Quand Lenore a décidé de quitter la pièce après Noël, je n'aurais jamais imaginé décrocher le rôle principal. Mais Nathan est un amour. Il m'a fait confiance. Et tout ce que je peux dire, c'est que je vais faire de mon mieux pour la mériter.

Cette touchante manifestation de gratitude fut accompagnée d'un regard qui en disait long sur la façon dont elle tenait à remercier son compagnon. Dans un accès de rage, Gemma lança ce qui restait de son assiette — fort heureusement en carton — contre l'écran.

— Espèce de salaud ! hurla-t-elle. Tu couches avec cette garce, et maintenant le monde entier est au courant !

A cette tirade explosive, Mâchoire se redressa d'un bond et se mit à gémir, avant de s'aviser de l'opportunité qui s'offrait à lui et d'aller lécher l'écran, puis de manger ce qui était tombé.

— Traître, lança-t-elle à l'adresse du chien.

Et elle s'effondra dans le canapé, en larmes.

« *Ne tire pas de conclusions hâtives* », lui souffla une petite voix qui se voulait rassurante.

Ce fut en vain. Elle pleura encore un moment, mais son dépit se changea bientôt en colère contre elle-même. A quoi d'autre pouvait-elle s'attendre, alors qu'elle avait autorisé Nathan à lui être infidèle, et l'y avait même encouragé en se refusant à lui ? Son mari avait d'importants besoins physiques. Elle avait été stupide de croire qu'il pourrait les brider longtemps. Et plus stupide encore de s'imaginer qu'elle ne lui en voudrait pas d'aller voir ailleurs.

Car elle était furieuse. Si elle s'était écoutée, elle aurait immédiatement pris sa voiture et foncé vers Sydney, pour lui arracher les yeux. Quant à cette garce blonde... Gemma rêvait de lui souder les lèvres à la colle forte afin de l'empêcher de jouer...

« *Elle ne fait que lui donner ce que tu lui as refusé* », murmura de nouveau la petite voix, dans son esprit.

Gemma ne put retenir un gémissement de frustration. Oui, c'était vrai. Combien de fois son mari l'avait-il encouragée à adopter une attitude plus agressive, au lit ? Systématiquement, elle avait rougi comme une adolescente effarouchée et avait refusé. Quelle idiote ! Sa pudibonderie n'avait réussi qu'à le jeter dans les bras d'une autre !

Non, comprit-elle après quelques instants de réflexion. Ce n'était pas de la pudibonderie, mais un manque de confiance. Lorsque Nathan lui faisait l'amour, elle plongeait dans un autre monde, mais c'était un monde d'abandon de soi et non de don. Prendre le dessus, cela signifiait devenir responsable du plaisir d'autrui. Et l'idée l'effrayait. Si elle n'en était pas capable ? Si elle s'avérait irréparablement maladroite ?

Sans s'en rendre compte, Gemma se retrouva à arpenter la pièce, Mâchoire sur ses talons. Après plusieurs tours du salon, elle s'arrêta brusquement et baissa un regard amusé vers le chien, consciente du spectacle cocasse qu'ils devaient offrir.

— C'est une drôle de façon de te promener, non ? Allez, viens, allons chercher ta laisse et faire un tour. J'ai besoin de réfléchir.

Le dimanche s'annonça chaud et dégagé, une superbe journée d'été. Un temps merveilleux pour aller à la plage, songeait Gemma en regardant l'océan. Mais ayant été élevée dans le bush, elle avait toujours trouvé la mer vaguement inquiétante et ne s'approchait pas de l'eau sans appréhension. Elle appréciait cependant de se promener sur la plage lorsque les vagues n'étaient pas trop menaçantes.

Nathan avait promis d'arriver à 11 h 30, mais il était midi lorsque sa Mercedes s'arrêta enfin devant le garage. Gemma, qui avait fini de se préparer à 11 heures, bouillait d'impatience.

— Tu es en retard, remarqua-t-elle sèchement, à peine eut-il posé un pied par terre.

— Et bonjour à toi, répondit-il avec amusement, levant un visage souriant vers elle. Moi aussi, je suis ravi de te revoir.

Malgré sa détermination à garder la tête froide au sujet de « l'affaire Jody », à laquelle elle avait finalement décidé de ne pas faire allusion, Gemma se sentit prise d'un brusque accès de jalousie, et d'un désir de vengeance. Elle se contrôla de justesse, mais ce bref épisode la laissa dans une disposition peu amène à l'égard de son mari.

— J'étais inquiète, expliqua-t-elle avec irritation.

— Il y a eu un accident sur la voie express. Ça a provoqué des ralentissements. Et je ne suis pas si en retard que ça.

— Tu aurais pu partir plus tôt. A moins que tu ne te soi. couché tard ?

Cette remarque lui valut un regard bref et dur, et il répondit :

— Pas plus tard que n'importe quel autre week-end de représentation. Les rappels durent toujours plus longtemps le samedi.

Il atteignit enfin le haut des marches et Gemma le regarda, le regarda *vraiment.*

Il n'avait pas le droit d'être aussi séduisant, se dit-elle, furieuse. Athlétique et blond comme les blés, vêtu comme il l'était aujourd'hui d'un pantalon de toile gris sombre et d'un polo crème, il paraissait dix ans de moins que ses trente-cinq ans. Aucune femme ne pouvait résister à un tel homme.

Gemma l'examina une dernière fois de la tête aux pieds, avant de croiser son regard médusé.

— Qu'est-ce qu'il y a ? Ma braguette est ouverte ou quoi ?

— Non, repartit-elle avec un mouvement de tête agacé. Je me disais juste que tu ne faisais pas tes trente-cinq ans.

— Merci bien. D'autant plus que je n'en ai plus trente-cinq, mais trente-six. Mon anniversaire est passé depuis deux semaines.

Comme Gemma le dévisageait avec dépit, il haussa les épaules avec impatience.

— Inutile de verser dans le sentimentalisme. Je n'ai jamais accordé beaucoup d'importance aux anniversaires. Seuls les enfants souffrent qu'on oublie de le leur souhaiter. Les adultes s'en moquent.

« Mais je suis sûre que ta mère a souvent oublié de le faire », songea Gemma dans un accès de compassion.

— J'ai réservé pour 12 h 30, reprit-il aussitôt. Nous ferions bien d'y aller. La route n'est pas très longue, mais nous allons perdre un temps fou à essayer de trouver une place de parking.

— Où allons-nous ?

— A l'Holiday Inn de Terrigal.

— Oh ! Je ne suis pas encore allée à Terrigal. Il paraît que c'est superbe.

— C'est sans doute l'un des plus jolis endroits de la Côte ; j'aurais acheté une maison là-bas si les vagues avaient été meilleures pour le surf. Et en parlant de joli…

Il l'enveloppa d'un regard appréciateur, pour se fixer finalement sur son décolleté.

— J'allais dire que cette tenue est très jolie, poursuivit-il, mais le terme n'est pas adéquat. D'où vient-elle ? Je ne me rappelle pas l'avoir vue dans ta garde-robe.

— Je l'ai achetée hier.

— Spécialement pour aujourd'hui ?

Gemma frissonna, avec un mélange d'excitation et d'appréhension, mais il était trop tard pour faire machine arrière.

— Oui, répondit-elle en le regardant droit dans les yeux.

Ce seul mot suffisait à révéler tout ce qu'il devait savoir. Pourtant, à sa mine soudain absente, Gemma eut l'étrange impression que son esprit s'était évadé très loin de là.

— A quoi penses-tu ? demanda-t-elle avec humeur.

Avec un léger tressaillement, son compagnon parut revenir à la réalité.

— Je pensais que j'aurais dû amener Kirsty.

Il s'imaginait sans doute qu'elle le taquinait, ou qu'elle le mettait à l'épreuve. Sans se laisser le temps de réfléchir, Gemma se haussa sur la pointe des pieds, noua ses bras autour de son cou et l'embrassa.

Elle le sentit se raidir aussitôt, et il ne fit aucune tentative pour la prendre dans ses bras. Elle resserra donc son étreinte et se plaqua plus étroitement contre lui, caressant ses lèvres du bout de la langue jusqu'au moment où, sur un soupir d'abandon, il les entrouvrit.

Jusqu'à cet instant, Gemma avait réussi à garder un semblant de contrôle d'elle-même ainsi que la maîtrise de la situation. Mais lorsque Nathan aspira sa langue en un baiser vorace et passionné, une décharge de plaisir pur explosa en elle. Sa tête se mit à tourner et elle s'affaissa légèrement contre lui. Les mains de Nathan se refermèrent sur sa taille, larges et puissantes, et elle éprouva une farouche excitation à cette étreinte prédatrice.

Ce fut alors, au moment où elle s'y attendait le moins, qu'il la repoussa. Elle le fixa, stupéfaite et en proie à une frustration croissante, consciente de sa féminité comme jamais auparavant. Comment pouvait-il être aussi calme alors qu'elle n'aspirait qu'à lui arracher ses vêtements, à le dévorer, à lui faire tout ce qu'elle n'avait jamais osé faire jusqu'à maintenant ?

— Pourquoi ? demanda-t-elle, complètement déroutée. Je ne comprends pas.

— Parce que tu n'en as pas vraiment envie.

— Bon sang, comment peux-tu dire ça ? Tu crois que je jouais la comédie ? Je sais pourquoi tu ne veux pas me faire l'amour. C'est sans doute que tu es épuisé après la nuit que tu as passée avec Jody !

L'expression stupéfaite qu'il arbora ne fit qu'ajouter à la colère de Gemma.

— Inutile de me mentir ! Je vous ai vus tous les deux à la télévision. J'ai remarqué la façon dont elle te regardait. Pas besoin d'avoir inventé la poudre pour deviner ce qui se passe entre vous ! Je m'en suis voulue de t'avoir jeté dans les bras d'une autre femme, mais je vois que tu t'en accommodes fort bien. Evidemment, cette garce doit être bien plus expérimentée que moi !

Le visage de Nathan, l'espace d'un instant, prit une teinte cendreuse. Puis il se ressaisit, et une expression de regret apparut sur son visage.

— Gemma, je suis navré si tu as tiré les mauvaises conclusions de cette interview. Que puis-je te dire, sinon qu'il n'y a jamais rien eu entre Jody et moi ? Qu'il n'y a jamais eu d'autre femme depuis le jour de notre rencontre ?

— C'est ça, moque-toi de moi.

Le regard de Nathan se fit plus dur, indiquant le combat qu'il menait pour conserver son calme.

— Ecoute, j'essaie de me montrer patient avec toi. Ainsi qu'avec Jody, d'ailleurs, car son attitude présente vient du comportement que j'ai eu à son égard, le soir de la première. C'est vrai, je l'ai ramenée à la maison ce soir-là. Et j'avais bien l'intention de coucher avec elle. Mais j'ai su, dès l'instant où elle est entrée dans l'appartement et s'est assise à ta place dans *ton* fauteuil, que je ne pourrais pas. Je lui ai donc servi un verre, puis je me suis excusé et je lui ai appelé un taxi.

— Dans ce cas, pourquoi s'est-elle conduite comme si elle était ta maîtresse, devant la caméra ?

— Parce que c'est ce qu'elle souhaiterait, sans doute. Elle serait prête à tout pour faire avancer sa carrière. Mais il se trouve que c'est aussi une excellente actrice. Donc, quand l'opportunité s'est présentée, je lui ai offert le rôle de Lenore dans l'espoir qu'elle cesserait de me pourchasser. Puisqu'elle n'a pas paru comprendre le message, je vais devoir me montrer un peu plus brutal à l'avenir. De toute façon, dès janvier, la pièce sera transférée à Melbourne. Je n'irai pas.

— Vraiment ?

— Non. J'en ai assez de diriger. Il est temps que je me remette à écrire.

Gemma sentit son cœur bondir à cette nouvelle. Une fois qu'il s'installerait devant son ordinateur, Nathan ne penserait plus à folâtrer avec d'autres femmes. Seule l'écriture compterait.

— Tu penses t'atteler à une nouvelle pièce, ou reprendre cette vieille idée qui te donnait du fil à retordre ?

— Plutôt écrire une nouvelle pièce. J'ai une histoire en tête. Pleine d'action et d'érotisme.

— C'est prometteur. Ça raconte quoi ?

— L'histoire d'un homme qui a épousé une fille bien plus jeune que lui, répondit Nathan avec un sourire malicieux. Mais les choses tournent mal, et ils se séparent momentanément. Elle pense que seul le sexe l'intéresse, et refuse de lui revenir tant qu'il n'aura pas prouvé que ses sentiments sont beaucoup plus profonds. Lui ne demande pas mieux, mais sa tâche est compliquée par le fait que sa femme porte des tenues incroyablement sexy en sa présence.

— Vraiment ? C'est très cruel de sa part.

— C'est bien ce que pense le mari. Mais il doit lui prouver qu'il peut se contrôler parce que, vois-tu, il a fait une chose terrible… Il en a pleuré de regret après coup.

A ces mots, Gemma fut prise d'une soudaine émotion.

— Oh, Nathan…, murmura-t-elle, la gorge nouée.

Des larmes lui montèrent aux yeux, mais elle se mordit la lèvre et les contint. Elle avait suffisamment gâché la journée pour ne pas en rajouter !

— Allons-y si nous ne voulons pas être en retard, déclara-t-elle avec un regain d'entrain. Je vais aller chercher ma veste et mon sac.

— Cette robe a une veste assortie ? s'exclama-t-il en levant les yeux au ciel. Dieu merci !

11.

Nathan avait raison : Terrigal était un endroit absolument merveilleux. La baie en elle-même était magnifique, et se terminait par une petite crique protégée des assauts de l'océan. De ce fait, Terrigal se prêtait plus aux séjours balnéaires en famille qu'aux excursions de surfeurs en mal de sensations.

La plage était d'ailleurs bondée, piquée des taches colorées de centaines de parasols. La majorité des vacanciers s'était installée en plein soleil tandis que d'autres, plus prudents, avaient préféré l'ombre des pins majestueux qui bordaient la baie.

De l'autre côté de la route, face à la pinède, se dressait l'Holiday Inn, dont l'architecture méditerranéenne n'était pas sans évoquer la Côte d'Azur. Juste derrière, des collines semées de luxueuses résidences descendaient en pente raide jusqu'au rivage.

Après avoir remonté l'artère principale, Nathan tourna au coin de l'hôtel avant de piler net.

— Mon Dieu, une place ! s'exclama-t-il en enclenchant la marche arrière pour faire un créneau. Tu dois me porter bonheur. Ça n'arrive jamais avec Kirsty. Nous tournons toujours pendant une éternité avant d'aller nous garer à l'autre bout de la ville !

Gemma attira son attention sur un panneau.

— On ne peut rester que deux heures. C'est écrit là.

— Nous devrions avoir fini de déjeuner dans deux heures, non ?

— C'est à espérer, si le service n'est pas très long.

— Ne t'inquiète pas pour ça, c'est un buffet. Tu te sers toute seule, et à volonté.

— Très alléchant. Et sûrement calorique !

— Je crois que tu supporterais très bien de prendre quelques kilos. Tu as perdu du poids.

— Pas partout.

Saisissant l'allusion, il baissa les yeux vers son décolleté.

— Oui, j'avais remarqué.

— Arrête, maugréa-t-elle, tu me fais rougir.

— Tu me fais aussi de l'effet, si tu veux tout savoir.

— Nathan, arrête…

— Je ne peux pas.

— Que… qu'est-ce que tu vas faire ?

— T'emmener bien gentiment au restaurant et essayer de penser à autre chose.

Gemma était si troublée, quand ils passèrent la porte tambour, qu'elle ne remarqua d'abord pas la splendeur de l'intérieur ni sa décoration, de tendance étrangement victorienne plutôt que méditerranéenne.

— Tout droit, indiqua Nathan.

Ils dépassèrent la réception pour se diriger vers un vaste escalier, qui se séparait au premier palier en deux bras semicirculaires.

— Arrêtons-nous là un instant, soupira Nathan en prenant appui sur la balustrade. Le temps que je me… ressaisisse.

Gemma le regarda inspirer profondément, oscillant entre l'amusement et la culpabilité. Son mari ne serait pas dans un tel état de frustration si elle n'avait pas décidé de porter une robe aussi provocante. A l'inverse, c'était *lui* qui avait choisi de ne pas profiter de ce qu'elle lui avait si volontiers offert quelques instants plus tôt. D'une certaine façon, Gemma se réjouissait de ce qu'il endurait. N'avait-elle pas souffert plus souvent qu'à son tour, à cause de lui ?

— C'est bon, dit-il vivement, après quelques instants. Allons-y.

— Par où ?

— Juste derrière toi.

Le restaurant s'appelait La Serre, et il n'était pas difficile de comprendre pourquoi au vu des immenses fenêtres qui donnaient sur la baie et du toit également vitré, au-dessous duquel une toile tendue arrêtait les ardeurs du soleil. Le panorama était spectaculaire.

Le buffet était disposé sur deux longues tables, à leur droite et à leur gauche. Gemma ouvrit de grands yeux en avisant la variété et l'abondance des plats proposés. Tout avait l'air extrêmement appétissant. A son grand soulagement, l'atmosphère du restaurant était décontractée. Il n'y avait pas de nappes sur les tables, les couverts étaient posés directement sur les plateaux de marbre. Des chaises de fer forgé peintes en vert et recouvertes de coussins achevaient de donner à l'endroit un petit air de campagne.

Dès qu'ils eurent pris place, Nathan commanda une bouteille d'eau pour elle et de la bière pour lui. En attendant leurs boissons, ils s'absorbèrent en silence dans la vue que leur offrait l'océan couleur turquoise et le ciel, d'un bleu plus pâle et plus doux que celui du bush.

— C'est merveilleux, murmura Gemma après quelques instants.

— Si tu veux, un jour, nous y passerons la nuit.

— Oui, j'aimerais beaucoup.

Mais si la cuisine s'avéra délicieuse, et l'ambiance relaxante, les deux heures qui suivirent n'offrirent pas à Gemma la moindre occasion d'aborder des sujets sérieux. Leur table était en effet entourée de trois autres, et tous leurs propos pouvaient être entendus. La discussion porta donc essentiellement sur ce qu'ils avaient dans leurs assiettes, et sur la façon dont Gemma comptait occuper son temps libre à Avoca.

— Tu n'es pas obligée de coudre tes propres robes, tu sais, déclara Nathan au moment du dessert. Il y a plein de boutiques spécialisées dans les vêtements de maternité à Sydney. Je pourrais t'y conduire une journée et...

— J'aime coudre, Nathan, coupa-t-elle avec impatience.

— Dans ce cas, fais des vêtements de bébé. Je n'aime pas l'idée que ma femme doive se fabriquer elle-même ses robes.

— C'est juste pour les porter à la maison.

— Est-ce un crime que de vouloir offrir le meilleur à son épouse ? J'aime te voir parée des plus beaux tissus.

— Je ne suis pas une poupée que tu habilles à ton gré, Nathan.

Il s'assombrit instantanément, une lueur de colère brasillant dans les profondeurs de son regard.

— Oh, je vois. C'est encore l'un de mes nombreux manquements en tant que mari. Je t'ai acheté de beaux vêtements. Bon sang, je suis vraiment un monstre. J'espère que tu me pardonneras de m'être montré généreux et d'avoir voulu ton bonheur.

Avec un soupir, Gemma reposa sa cuillère. Son regard s'évada fugitivement vers l'horizon, comme en quête de réponses à ses questions. Nathan ne comprendrait-il jamais ce qui la rendait heureuse ?

Elle lui en fit la remarque, et il se rembrunit davantage.

— Qu'est-ce qu'il y a de mal à ce que je te fasse des cadeaux, si ça *me* fait plaisir ? Et qui sait ? Je finirai peut-être par trouver quelque chose qui te fera plaisir à toi aussi ?

— Comme quoi ? repartit-elle sans plus chercher à dissimuler son exaspération. Une femme n'a pas besoin de milliers de tenues ou de bijoux, ni de plusieurs voitures ou de différentes maisons ! Même si j'apprécie le confort matériel, comme tout le monde, je n'ai pas besoin d'extravagance.

— Je vois.

Du bout de sa cuillère, il se mit à jouer avec son dessert, apparemment dérouté. Avait-il déjà prévu de lui offrir quelque chose dans l'espoir de regagner ses faveurs ?

— Tu m'as déjà donné ce qu'il y a de plus beau au monde, soupira-t-elle en posant une main sur la sienne. Un enfant…

Avec une grimace, il leva vers elle un regard peiné.

— Je ne suis toujours pas convaincu que tu en sois vraiment ravie.

Gemma se figea, stupéfaite, puis retira brusquement sa main.

— Dans ce cas, tant pis pour toi. Car je n'ai aucune intention d'essayer de t'en convaincre.

— Non, bien sûr.

Comme si cette discussion l'irritait, il regarda autour de lui jusqu'à capter l'attention d'une serveuse, à laquelle il demanda l'addition d'une voix brusque. Dix minutes plus tard, ils regagnaient la voiture dans un silence glacé. Une fois qu'ils furent assis, il lança à Gemma un regard irrité.

— Par pitié, ne joue pas les offusquées. Je ne veux pas rentrer à Sydney en te sachant fâchée alors que j'ai tout fait pour me racheter.

— Je ne suis pas fâchée, répondit-elle, secouant la tête d'un air las. Il y a tellement de choses que tu ne vois pas…

— Pourtant, j'essaie. Et peut-être qu'il y a des choses que *tu* ne vois pas. Tu n'es pas parfaite, Gemma. Arrête d'exiger des autres qu'ils le soient.

Elle le fixa, abasourdie. Etait-ce ce qu'elle faisait inconsciemment ? Lui demandait-elle d'être parfait ?

Le sourire tendre qu'il lui adressa soudain acheva de la déstabiliser.

— Ouvre les yeux, dit-il doucement. Tu ne sais pas tout. Simplement parce qu'à ton âge tu n'as pas tant d'expérience que ça. Tu rêves d'une existence utopique qu'aucun homme normal ne pourra t'offrir. Les hommes et les femmes sont par nature différents. Ils ne se complètent pas toujours. Il arrive qu'ils s'affrontent. Tu me demandes de tout te dire sur moi, mais je ne me sens pas à l'aise à l'idée de le faire. Tu vas devoir apprendre à me faire confiance sans connaître le moindre détail de mon existence avant notre rencontre.

— Je ne demande pas à connaître le moindre détail de ton existence. Je veux juste les faits essentiels.

— Comme quoi ?

— Comme savoir ce qui s'est passé entre Irene et toi. *Vraiment* passé.

— Ah… C'est donc ce bon vieux Damian qui l'emporte, finalement ? Ce salaud est mort, mais c'est lui que tu crois !

— Non ! Je t'ai cru quand tu m'as dit que tu n'avais pas couché avec elle. Mais je ne suis pas idiote. Il s'est passé quelque chose, et j'ai besoin de savoir quoi.

— Et si je te le dis, que voudras-tu savoir d'autre ?

L'image de sa mère s'imposa à l'esprit de Gemma, et elle s'empourpra. Dieu merci, Nathan ne regardait pas dans sa direction à cet instant, trop occupé à vérifier son rétroviseur pendant qu'ils quittaient leur stationnement.

— Je vais te le dire si tu insistes, enchaîna-t-il enfin. Mais ne m'en veux pas si ce que tu apprends ne te plaît pas. Je n'ai jamais prétendu être un saint, et les faits remontent à bien des années. A l'époque, j'avais bien peu de pitié pour les femmes, surtout pour certaines.

Le cœur battant, Gemma déglutit. Voulait-elle vraiment entendre cela ? Nathan posa sur elle un regard interrogateur, mais sa curiosité l'emporta sur ses craintes car elle resta silencieuse.

— Du jour où je suis arrivé à Belleview, commença-t-il, j'ai su qu'Irene était la plus grande garce de tous les temps. Elle était vicieuse et méchante avec Jade et Ava, et incroyablement douce avec Byron. J'imagine qu'elle l'aimait, à sa façon tordue, mais il était évident qu'il ne l'aimait pas en retour. Oh, il la supportait, toutefois il n'y avait ni chaleur ni passion dans leurs échanges.

— Pas étonnant. Il était amoureux de Celeste.

— Apparemment, oui. Mais il ne la voyait plus depuis longtemps, et je ne doute pas qu'il honorait sa femme, en époux loyal. Pourtant je doute qu'Irene y trouvait une satisfaction morale. Elle sentait qu'il ne l'aimait pas, et détestait tous ceux et celles qui, selon elle, lui volaient l'amour de Byron. Celeste. Ava. Jade. Elles ont toutes été victimes de sa jalousie. Quand Byron m'a adopté, elle a fait mine d'y être favorable, alors qu'elle était mortellement jalouse de moi. C'est pour ça, je crois, qu'elle a essayé de me séduire. Pour se venger de Byron. Et elle a peut-être été excitée par ce que Byron lui avait décrit de ma vie, avant d'arriver à Belleview.

— Et... comment était ta vie, avant ça ?

— Allons, dit Nathan avec un rire moqueur. Ava a dû te dire que j'avais vécu avec une femme assez âgée pour être ma mère, non ? Le contraire m'étonnerait.

— Elle... l'a peut-être mentionné, oui.

— Et c'est vrai, reprit-il sans apparente contrition. Lorna avait quarante-deux ans quand je suis arrivé chez elle. J'en avais seize. Etant donné que ma propre mère avait trente-trois ans au moment de sa mort, Lorna était tout à fait en mesure de devenir un parent de substitution. Et c'est ce qu'elle a fait. Au début.

Nathan partit d'un rire noir, et Gemma se renfonça malgré elle dans son siège.

— Mais les circonstances de mon dépucelage n'ont rien à voir avec notre histoire.

Gemma tressaillit. Car « dépucelage » signifiait donc qu'il avait été vierge avant d'emménager avec cette Lorna... Et elle qui s'était imaginé que...

— Mais je croyais..., commença-t-elle.

— Quoi ? coupa-t-il avant qu'elle pût se ridiculiser totalement. Que Lorna n'était pas la première ? Qu'avec le genre d'éducation que j'avais reçu, j'étais déjà expert en la matière ?

— Oui, répondit-elle d'une toute petite voix, plutôt que de lui avouer ses soupçons.

— Il est vrai que je ne manquais pas d'occasions. A quatorze ans, j'étais déjà un homme fait. Les amies de ma mère ont commencé à s'intéresser à moi.

— Mais tu leur as résisté ?

— Eh oui ! Surprise ! Malgré le fait que certaines d'entre elles étaient jeunes et sexy. Il y en avait même une ou deux qui étaient aussi belles que ma mère elle-même. Parce que, en dépit des drogues qu'elle prenait, c'était une femme splendide. Une déesse blonde aux longs cheveux, fine comme un roseau. Mais c'était surtout l'aura de pureté et d'innocence angélique qu'elle dégageait qui attirait les hommes. Impossible de savoir, en la voyant, qu'elle s'en était envoyé autant.

Gemma se hérissa en entendant cette tournure pour le moins crue, mais ne dit rien de peur d'interrompre sa confession.

— C'était une vraie nymphomane. J'ai perdu le compte des nuits où je l'ai entendue gémir de plaisir, dans la chambre voisine de la mienne. Malgré cela, je l'aimais. Et elle m'aimait, vraiment. Elle me mettait en pension chaque fois qu'elle était avec quelqu'un qui ne me supportait pas. C'était sa façon de me protéger. Mais tout ce que je voulais, moi, c'était la protéger, *elle*. Alors je rendais la vie difficile à ceux de ses amants que je n'appréciais pas, jusqu'à les faire partir. Après quoi j'avais droit à une période de bonheur où nous étions seuls, elle et moi. Jusqu'au suivant…

Il s'interrompit pour se mordiller pensivement la lèvre, tandis que Gemma faisait de son mieux pour ne pas céder à la détresse qui montait en elle. Comme il avait dû souffrir… Mais au moins n'avait-il pas été victime de sévices, comme elle l'avait d'abord redouté. Et puis, il était rassurant de savoir qu'il avait malgré tout connu l'amour d'une mère.

— Tu sais, enchaîna-t-il, je n'ai jamais cru qu'elle s'était suicidée. Elle n'aurait pas fait une chose pareille. Cette overdose était probablement un accident. Quelqu'un a dû lui vendre un mauvais mélange. Bon sang, quand je l'ai trouvé morte, je… ça a été terrible. J'ai pleuré et pleuré et pleuré, puis je me suis enfui et je me suis soûlé à mort.

— Et c'est à cette époque que cette Lorna est entrée dans ta vie ? Au moment où tu étais le plus vulnérable ?

Il acquiesça. Ils n'étaient plus très loin d'Avoca et, soudain, Nathan se gara sur le bas-côté. Dans l'habitacle, le silence n'était perturbé que par sa respiration saccadée.

— C'était une amie de ma mère, reprit-il. L'une des seules qui n'avait jamais rien tenté avec moi. J'ai pensé que je serais en sécurité, avec elle.

Il rit, et ajouta d'un ton plein de sarcasme :

— A l'époque, je nourrissais le fantasme très romantique de rester vierge jusqu'à mon mariage. C'est sans doute ce qui arrive aux garçons qui ont une mère comme la mienne. Soit ils deviennent aussi dévoyés, soit ils adoptent l'attitude inverse. Je m'étais juré de ne jamais devenir comme elle… Quel idiot ! Une nuit, Lorna m'a fait revenir sur terre. Et de quelle façon !

De nouveau, il ponctua son récit d'un rire narquois.

— Cette technique que Damian a employée avec toi, la drogue dans un verre, il ne l'a pas inventée. Un soir, Lorna m'a fait boire un cocktail de sa composition. J'ai dû m'évanouir, parce que, quand je me suis réveillé, j'étais nu comme un ver dans son lit. Et elle avait entrepris de me montrer que le sexe sans amour n'est pas nécessairement une chose désagréable. Evidemment, je n'étais pas très à l'aise mais, si mon esprit criait « non », mon corps, lui, disait « oui ». J'ai même pleuré comme un bébé quand je n'ai pas pu me retenir, entre ses mains expertes. Cependant le remords ne m'a pas empêché d'être de nouveau prêt à recommencer quelques minutes plus tard. Je n'ai pas trouvé la volonté de m'en tenir là…

La gorge de Gemma s'était asséchée, ses yeux s'écarquillaient. Ne comprenait-il pas qu'il n'était en rien responsable de ce qui était arrivé ? Cette folle l'avait presque violé !

Si, il s'en rendait compte. Et c'était la raison pour laquelle il s'en voulait à ce point de ce qui s'était passé dans la chambre de Damian. Pour cela également qu'il se méfiait comme de la peste de ce genre de personnage pervers et immoral. Elle s'était montrée aussi stupidement naïve et confiante que lui avec Lorna, autrefois. Son mari avait simplement tenté de la faire profiter de son expérience, et elle avait ignoré ses mises en garde.

— J'entends presque les rouages de ton esprit tourner, ironisa-t-il à cet instant. Mais ne me pardonne pas trop vite. J'ai continué à vivre avec Lorna bien après cela, de mon plein gré. Elle m'a appris tout ce que je sais en matière de sexe, et j'en ai apprécié chaque instant. De plus, tu ignores toujours ce que j'ai fait à Irene, de façon on ne peut plus préméditée.

Gemma se mordit la lèvre, en proie à de soudaines aigreurs d'estomac.

— Oh, oui, tu peux t'inquiéter. Tu es sûre de vouloir entendre la suite ? Tu viens de virer au vert.

— Je veux tout savoir sur toi ! répondit-elle en redressant courageusement le menton.

— Ne viens pas dire que tu n'étais pas prévenue, alors. Ce n'est pas joli-joli et je n'ai aucune intention de mentir. Quelques semaines après mon adoption, Irene est venue dans ma chambre, un soir. Byron s'était absenté pour affaires. Elle portait un négligé transparent. C'était une très belle femme, à l'époque, aux longs cheveux noirs et aux courbes voluptueuses. Bref, elle m'a dit sans détour que, si je ne faisais pas ce qu'elle voulait, elle irait raconter à Byron que je lui avais fait des avances. Du fait de mon passé, je savais que c'était elle qu'il croirait, et qu'il me renverrait à la rue. Puis elle m'a fait part de ses exigences, et j'ai paniqué.

— Bien sûr ! C'est tout à fait compréhensible !

— Oh, je n'ai pas paniqué comme tu le crois, mais parce que j'étais bel et bien tenté ! Lorna avait bien fait son travail.

Un seul regard sur Irene avait suffi à m'exciter. Heureusement, mon respect pour Byron était bien plus grand que mon désir pour sa femme. J'ai donc décidé d'un plan qui l'arrêterait net et la dissuaderait de recommencer.

— Que… qu'as-tu fait ?

— Je lui ai dit que je serais ravi de faire ce qu'elle voulait, qu'elle était la femme la plus belle et la plus désirable du monde et que je n'avais pas cessé de penser à elle depuis mon arrivée. Puis j'ai prétendu que Lorna m'avait enseigné une technique orientale qui augmenterait son plaisir. Si elle me donnait vingt-quatre heures, je pourrais réunir tout le nécessaire.

— Seigneur !

— C'est un cri d'horreur ou une manifestation d'intérêt pour cette technique ? s'enquit Nathan avec amusement.

— Je… euh, je…

— Peu importe. C'était pure invention. J'avais besoin de temps pour me procurer l'équipement.

— L'équipement ?

— Pas ce *genre* d'équipement. Juste une caméra vidéo. J'en ai donc loué une que j'ai cachée sous le lit. Quand Irene est revenue, je l'ai convaincue de s'asseoir et de détailler tout ce qu'elle comptait me faire. J'ai prétendu que ça faisait partie de la technique, puis je lui ai annoncé qu'il fallait qu'elle se retienne vingt-quatre heures encore. Je ne sais pas comment j'ai réussi à la convaincre. Le lendemain, j'ai fait faire des copies de la cassette et je lui en ai donné une en lui expliquant ce qu'elle contenait. Si elle tentait de nouveau quoi que ce soit, je donnerais la cassette à Byron. Sous le coup d'une inspiration, je lui ai également dit que je ferais la même chose si elle s'avisait de lever encore la main sur Jade.

— Co… comment a-t-elle réagi ?

— Elle a pleuré. Hurlé. Déliré. Elle m'a supplié, puis insulté. A fin, elle a juste semblé avoir peur de moi, et je dois avouer en avoir tiré un certain plaisir. Je n'avais jamais fait peur à personne avant. Et c'est à ce moment que j'ai décidé de toujours garder le contrôle de ma vie en général, sexuelle en particulier. J'ai réussi à m'y conformer. Sauf une seule et unique fois, murmura Nathan en coulant à Gemma un regard de biais. Mais tu es au courant, n'est-ce pas ? Voilà, je crois que j'en ai déjà trop dit. Tu vas certainement tenter d'analyser tous mes faits et gestes à partir de maintenant. Tu as cette tendance à toujours vouloir comprendre le pourquoi du comment. Un peu comme ton père, d'ailleurs. Il m'interrogeait sans cesse sur mon passé, au début. Dieu merci, il a fini par y renoncer et par me laisser vivre ma vie.

Il soupira, sourit et conclut :

— A propos de vivre sa vie, nous ferions bien d'y aller. L'après-midi file et il y a plusieurs choses dont je voudrais discuter avec toi.

— Comme quoi ? demanda-t-elle un peu distraitement, toujours sous le choc de ces révélations.

— De ce que nous allons dire à Byron et à Celeste, par exemple. Ils m'ont appelé hier soir pour me dire qu'ils avaient un acheteur pour le bateau, mais que le type voulait en prendre possession immédiatement. Ils rentrent donc en avion demain soir.

12.

Dès l'instant où Celeste arriva à Sydney et apprit que Gemma était enceinte, elle s'empressa de la rejoindre à Avoca. Byron l'accompagnait, bien sûr, mais alors que son épouse peinait à dissimuler son inquiétude, lui paraissait aux anges. Au point que, peu après leur arrivée, Celeste se débarrassa de lui en l'envoyant faire une course, afin de pouvoir être seule avec sa fille.

Gemma savait qu'il lui faudrait répondre à toutes sortes de questions embarrassantes et, de fait, sa mère ouvrit le feu dès que Byron eut franchi le seuil.

— Qu'est-ce qui se passe ? demanda-t-elle tout de go. Je ne crois rien de ce que Nathan nous a raconté sur votre supposée réconciliation. Si c'était vrai, pourquoi n'es-tu pas avec lui à Sydney ? Nathan prétend que tu as besoin d'air pur, mais ça ne prend pas. Je te trouve très bonne mine. Tu es resplendissante, même.

— Eh bien, je… je…

— Par pitié, ne me mens pas, toi aussi. Je veux des faits. Je t'aime et je te soutiendrai quels que soient tes choix, mais je dois savoir la vérité.

Gemma comprit qu'elle n'avait aucun espoir de s'en tirer autrement qu'en étant parfaitement honnête. Celeste avait bien trop d'intuition pour se laisser prendre au piège de ses mensonges. Une nouvelle fois, Gemma regrettait de s'être laissé aller à lui raconter ce qui s'était passé cet après-midi-là dans la chambre de Damian. Hélas, le mal était fait.

— Nathan et moi essayons vraiment de nous réconcilier, répondit-elle avec une décontraction feinte. Mais je ne veux pas vivre avec lui parce que nous faisons chambre à part, pour le moment. Je veux être sûre qu'il s'intéresse à moi en tant que personne. Et oui, avant que tu ne le demandes, cet enfant a été conçu ce fameux après-midi à Campbell Court. Et non, ça ne me dérange pas le moins du monde. Je veux cet enfant, et je l'aimerai autant que son père.

A ces mots, Celeste tressaillit.

— Je croyais que tu le détestais ?

— Allons..., dit Gemma avec un sourire. Venant de toi, c'est plutôt cocasse. Pendant combien de temps as-tu détesté Byron ?

— Une mère n'a pas forcément envie que sa fille commette les mêmes erreurs, bougonna Celeste. J'ai beaucoup souffert.

— Mais aujourd'hui, tu es heureuse.

— C'est vrai... Mais c'est parce que mon amour est partagé. Peux-tu en dire autant de toi ?

— Non. Pourtant, je sais que Nathan veut m'aimer. Simplement, il ne sait pas comment s'y prendre. Mais il fait de son mieux. Il a commencé à s'ouvrir, à me raconter des choses sur son passé.

— Vraiment ? Tu m'étonnes. Il a toujours été très avare de confidences, à ce qu'on dit.

— C'est vrai. Toutefois j'ai réussi à lui arracher quelques informations. Oh, pas tout, certes, mais nous progressons. Bientôt, je serai capable de rassembler toutes les pièces du puzzle qu'est Nathan. Il a eu une enfance très difficile, tu sais. Il a besoin de compréhension, et de compassion.

— Toi aussi tu as eu une enfance difficile, fit valoir Celeste. Mais au final, il faut aller de l'avant et non se lamenter sur le passé. Ne creuse pas trop profondément, ma chérie. Il y a des choses qu'il vaut mieux ne pas savoir… Tu ne couches vraiment pas avec Nathan ?

Déroutée par ce brusque changement de sujet, Gemma rougit jusqu'à la racine des cheveux.

— Non.

— Et il s'en accommode ?

En se remémorant la façon dont il l'avait repoussée, la veille, elle s'empourpra plus encore.

— Oui.

— Tu es sûre qu'il ne couche plus avec cette Jody ?

— Il n'a jamais couché avec elle.

— C'est ce qu'il t'a dit ?

Confrontée au scepticisme de sa mère, Gemma ne put retenir un sourire.

— Oui, c'est ce qu'il m'a dit et je l'ai cru. D'autant plus que je l'ai autorisé à coucher avec d'autres femmes.

— *Quoi ?* Tu es devenue folle ?

— Oui. Folle de lui. Je suis prête à tout pour regagner son amour.

— Bon sang, il va falloir que je t'apprenne deux ou trois choses sur la vie ! Ne donne jamais à un homme la permission de coucher avec une autre femme ! Il risque de te prendre au mot.

— Pas Nathan.

De dépit, Celeste leva les mains vers le ciel.

— Elle est devenue folle !

— Tu ne connais pas Nathan.

— Et ça me convient parfaitement.

— Tu as tort. Il m'a dit qu'il avait changé d'avis sur ton compte. Je crois même qu'il t'admire.

— Tu essaies de m'embobiner ? demanda sa mère avec un regard méfiant.

— Non. Je suis sincère.

— Hmm... Je suppose que je vais devoir faire contre mauvaise fortune bon cœur, puisqu'il est le père de mon petit-fils ou de ma petite-fille.

— Oui, Grand-Maman.

— Très drôle. Déjà que je me sens vieille... Je vais avoir quarante ans la semaine prochaine...

— Tu es jeune et plus belle de jour en jour ! Le mariage te réussit.

— Vraiment ? dit Celeste, rougissant de plaisir. Je... j'ai pourtant pris un peu de poids, à force de me prélasser sur le pont du bateau en buvant du champagne.

— Apparemment, c'était une belle croisière...

— Merveilleuse, oui.

— Pourquoi vendre le bateau, alors ?

— Parce que ce n'était pas lui qui était merveilleux. C'était...

Celeste s'interrompit et regarda sa fille dans les yeux. Gemma aurait juré que, pour la première fois de sa vie, la redoutable patronne de Campbell Jewels était embarrassée.

— Qu'est-ce que papa et toi avez donc fait ? demanda-t-elle en riant.

Son père apparut à cet instant précis de l'autre côté de la baie vitrée, une bouteille de sherry dans chaque main. Il les leva d'un geste triomphal et fit signe qu'on le laissât entrer. Gemma alla ouvrir, non sans s'émerveiller une nouvelle fois de l'allure juvénile de son père, loin d'accuser ses cinquante ans. Et à en juger par la rougeur de Celeste, il ne se comportait pas non plus comme un homme de cet âge...

— Qu'est-ce qui te fait sourire, ma chérie ? s'enquit Byron. Ou vaut-il mieux que je ne le sache pas ? Vous avez apparemment cancané dans mon dos, pas vrai ?

Traversant la pièce, il posa ses bouteilles sur le bar qui séparait le salon de la cuisine et annonça :

— Je n'ai pas trouvé la marque que tu m'as demandée, Celeste. Il paraît qu'ils ont arrêté la production en 1922, alors j'ai acheté ce sherry à la place. Le vendeur me l'a recommandé. L'un d'eux est très crémeux, l'autre doux.

— Merci mon amour, répondit Celeste, qui savait pertinemment que la marque qu'elle voulait n'existait plus, et ne s'en était servie que pour éloigner Byron.

— Trinquons, alors ! s'exclama ce dernier. Après quoi j'emmènerai les deux femmes de ma vie dîner dehors.

— Tu n'es pas obligé, protesta Gemma. Je suis parfaitement capable de cuisiner.

— Ma chérie, soupira sa mère en levant les yeux au ciel, quand un homme t'invite à dîner, accepte ! Il va vraiment falloir que je fasse ton éducation ! Tu ne connais rien aux hommes.

Byron jeta à sa femme un regard amusé, puis déclara :

— Laissons Nathan s'occuper de cela. Et à propos de Nathan, il m'a chargé de te dire qu'il serait là vendredi soir.

— V-Vendredi soir ?

— Oui. Ainsi que Kyle et Jade. Il les a invités pour le week-end.

— Oh...

Gemma n'aurait su dire si cette nouvelle la rassurait ou l'inquiétait. Jade et Kyle ne s'étonneraient-ils pas de les voir faire chambre à part ? Mais peut-être Nathan, justement, ne comptait-il pas faire chambre à part...

— Ça te fera du bien d'avoir de la compagnie, déclara Celeste d'un ton neutre, bien que son regard laissait supposer qu'elle avait compris ses doutes. Tu dois te sentir seule pendant la semaine...

— A dire vrai, cela ne me déplaît pas. Je m'y suis habituée.

— C'est un sous-entendu pour que nous partions ? interrogea Byron.

— Bien sûr que non ! Je vous en voudrais de ne pas rester quelques jours.

— Parfait. Parce que c'est ce que nous comptons faire. Nous avons prévu de rester jusqu'à vendredi, puis de passer le relais à Nathan. A présent, venez boire votre sherry. Sauf toi, Gemma. Je vais te servir un jus d'orange.

— Je te parie cent dollars que tu ne passes pas le week-end sans succomber, murmura Celeste à sa fille, tandis que Byron faisait le service.

D'abord surprise, Gemma s'enhardit soudain et adressa à sa mère un sourire de défi.

— Et si nous pariions vraiment ? chuchota-t-elle en retour. A moins que tu n'aies peur de perdre ?

— Si vous voulez bien m'excuser, les interrompit Byron en leur apportant un verre à chacune, je vais aller siroter mon sherry près de la piscine et faire plus ample connaissance avec ce gigantesque animal que tu appelles un chien.

— Vas-y. Tu as de la chance qu'il t'aime bien.

— Pourquoi ? Ce n'est pas le cas de tout le monde ?

— Nathan ne recueille pas vraiment ses faveurs.

— Qu'est-ce qu'il a fait à ce pauvre chien ?

— Rien. Mais Mâchoire est sans doute un chien de garde contrarié. Il s'est mis en tête de me protéger de Nathan.

— Pas si bête, ce chien, laissa échapper Celeste.

Son mari ne l'entendit heureusement pas. Sitôt qu'il eut quitté la pièce, Celeste se tourna vers sa fille.

— Alors ? Que te faisait Nathan pour que Mâchoire se pique de te défendre ?

— Ne tire pas de conclusions hâtives. Il ne faisait que m'embrasser.

— Il y a embrasser et embrasser. Je suppose que tu essayais de le repousser.

— Pas le moins du monde. Au contraire, même ! Heureusement que Mâchoire est intervenu...

— Ah ! Nathan ne s'accommode donc pas si bien du fait de ne pas coucher avec toi.

— Je n'ai jamais dit que c'était facile pour lui.

— C'est bien ce que je pensais. Tu n'as aucune chance de tenir tout un week-end avec lui. J'espère que tu t'en rends compte ?

— Comme je te l'ai dit, je suis prête à prendre les paris.

— Très bien. Combien veux-tu parier ?

— Fixe l'enjeu, puisque tu es si sûre de gagner.

— D'accord. Si je perds, je te donne l'Opale noire.

Gemma se figea, bouche bée. Celeste avait payé cette pierre une somme folle. Gemma l'avait trouvée dans les affaires de son père peu après sa mort et s'était d'abord cru riche, avant de s'apercevoir qu'il s'agissait d'une opale volée. Elle se rappelait encore sa splendeur et son éclat. Mais la perspective de récupérer un tel bijou suffirait-elle à la convaincre de résister à Nathan s'il changeait d'avis et se mettait en tête de la séduire ? Elle en doutait fort...

— Et si je perds ?

— Si tu perds, répondit lentement sa mère, c'est moi qui choisis le nom du bébé.

Gemma tressaillit, surprise par une telle requête.

— Vois-tu, reprit Celeste avec une émotion visible, je n'ai pas eu la chance de te donner ton nom.

La jeune femme sentit une boule se former dans sa gorge. Elle se demanda même si elle n'allait pas délibérément céder à Nathan, ne serait-ce que pour exaucer le vœu de sa mère.

— C'est d'accord.

Les yeux de Celeste s'emplirent aussitôt de larmes, et elle déclara d'une voix tremblante :

— Je… je ferais bien d'aller me rafraîchir un peu, maintenant. Est-ce que tu peux demander à ton père à quelle heure il veut que nous soyons prêtes ? Dis-lui aussi de penser à réserver.

Sa mère partie, Gemma trouva Byron allongé sur une chaise longue. D'une main, il grattait nonchalamment la tête de Mâchoire, allongé à côté de lui.

— Maman te rappelle qu'il faut réserver au restaurant, annonça-t-elle en tirant une chaise. Elle veut aussi savoir quand nous devons être prêtes.

— Pas besoin de réserver un lundi soir, répondit son père tout en jetant un coup d'œil à sa montre. Il est 17 h 20. Ça vous convient si on part vers 19 heures ?

— Ce sera parfait.

— Je ne comprends pas pourquoi Nathan ne s'entend pas avec ce chien. Il est doux comme un agneau.

— C'est sans doute lié au fait que Nathan n'a pas eu d'animal domestique quand il était plus jeune. Il n'a jamais développé de rapports d'affection avec un chien ou un chat. Les animaux sentent ça. Je suis sûre que, toi, tu avais un chien.

— C'est vrai. J'ai eu plusieurs animaux, dont un labrador gras et paresseux que j'adorais.

— Nathan, lui, n'a eu personne d'autre à aimer qu'une mère nymphomane. Depuis, il essaie d'apprendre à aimer normalement. Mais il a du mal. Surtout avec les femmes. Pour lui, l'amour commence et s'arrête au sexe.

— J'espérais qu'il avait réussi à vaincre l'influence de cette garce avec le temps, grommela Byron.

— Tu parles de sa mère ?

— Non. Encore qu'elle ait elle aussi sa part de responsabilités. Je pensais à Lorna Manson.

— Oh, *elle*.

Byron leva aussitôt vers elle un regard médusé.

— Tu es au courant ?

— Nathan m'a brossé le tableau, oui. Cette femme l'a pour ainsi dire violé !

— Plus moralement que physiquement, mais oui, c'est vrai. Sais-tu qu'elle ne cessait de lui répéter qu'il était une mauvaise graine, tout comme sa mère ? Qu'il avait hérité de sa passion maladive pour le sexe, et qu'aucune femme ne voudrait jamais de lui pour autre chose que cela ?

— Seigneur, non ! Je n'en savais rien !

— C'est bien ce que je pensais. Nathan s'est effondré et m'a tout avoué, un soir, peu après notre rencontre. Il était un peu ivre. Il n'arrêtait pas de me répéter qu'il voulait être quelqu'un de bien, mais qu'il avait sans doute été programmé pour être mauvais.

Gemma n'en revenait pas que l'on pût manipuler à ce point l'esprit d'un adolescent, par définition vulnérable et impressionnable. Mais cela avait le mérite d'expliquer beaucoup de choses. Et notamment qu'il s'en voulût à ce point de ce qui s'était passé à Campbell Court.

Etait-ce pour cela qu'il l'avait repoussée, l'autre jour ? Pour se convaincre lui-même qu'il était capable de se contrôler ? Qu'il n'était pas ce que Lorna avait voulu lui faire croire ? Dans ce cas, elle avait eu raison de décider de ne pas coucher avec lui. Son instinct l'avait guidée dans la bonne direction. Indépendamment de son pari avec Celeste, elle ferait donc bien de continuer dans cette voie.

— J'ai fait de mon mieux pour le convaincre que ce n'était pas vrai, bien sûr, enchaîna Byron. Et j'ai vraiment cru y être parvenu. Mais peut-être que je me suis trompé. Peut-être qu'il s'imagine toujours, au fond de lui-même, qu'il n'est pas digne d'être aimé. Qu'il n'est bon qu'à envoyer une femme au septième ciel. Oups, pardon, Gemma.

— Inutile de t'excuser. J'apprécie ta franchise. Et ne t'en fais pas pour Nathan. Tout ira bien.

— Tu es vraiment très optimiste. Ou têtue comme une mule.

— Et je tiendrais ça de ma mère ou de mon père ? dit-elle en riant.

— Oh, de ta mère, à n'en pas douter. Elle éprouverait la patience d'un saint !

— Qu'est-ce qui se passe ici ? demanda Celeste, se dressant soudain au-dessus eux. J'envoie Gemma te poser une question et elle disparaît. Oh, bonjour mon toutou, ajouta-t-elle en se baissant vers Mâchoire, qui avait entrepris de lui lécher affectueusement une cheville.

— Je crois qu'il l'aime bien, elle aussi, commenta Byron avec un clin d'œil. Nathan va être furieux.

— C'est moi qui vais être furieuse si vous ne me dites pas ce que vous mijotez, tous les deux.

— Nous parlions de chiens, déclara son mari. De chiennes, plus précisément.

— Mais Mâchoire est un mâle, non ?

Se retenant de pouffer, Gemma expliqua :

— Je… hmm, je pensais lui trouver une compagne.

— Tu ferais mieux de l'emmener chez le vétérinaire, oui.

— Aïe ! gémit Byron. Tu entends ça, mon vieux ? Si j'étais toi, je déguerpirais en quatrième vitesse. Bon, je vais aller me raser avant de sortir.

Il s'éloigna d'une démarche nonchalante, après avoir fait un clin d'œil à sa fille, et Celeste demanda :

— Pourquoi ai-je l'impression qu'on ne m'a pas tout dit ?

— Peut-être parce que justement on ne t'a pas tout dit. Byron essayait de défendre Nathan.

— De défendre Nathan ? Je ne comprends pas…

— Non, bien sûr. Et tu as le droit de savoir. Nathan est ton beau-fils, après tout, et j'ai bien l'intention qu'il le reste longtemps. Il faut que tu connaisses un peu son histoire, ce qui l'a fait tel qu'il est aujourd'hui.

Elle se lança alors dans un récit détaillé et, quelques instants plus tard, Celeste levait vers elle un regard effaré.

— Seigneur, si j'avais pu savoir… Le pauvre garçon…

— Ce n'est plus un garçon. C'est un homme. Un homme honnête et généreux. Mais il a besoin que l'on croie en lui. On dit qu'il faut s'aimer soi-même avant d'aimer les autres. Or, Nathan n'arrive pas à s'aimer à cause de ce que cette femme lui a fait.

— C'est monstrueux…

— Oui.

— Je… je veux annuler notre pari, Gemma. C'était stupide. Fais ce que tu estimes juste, avec Nathan. C'est le plus important. Je te donnerai l'Opale noire de toute façon. Je voulais qu'elle te revienne.

Mais Gemma secoua lentement la tête.

— Pourquoi pas ? s'étonna Celeste. Je peux me le permettre.

— Non. Ce n'est qu'une chose. Un objet. Je n'en ai pas besoin. Tu n'as qu'à la revendre et à donner l'argent à l'une des organisations caritatives que Byron sponsorise. Qu'elle serve enfin à quelque chose au lieu de moisir dans un coffre.

— Tu es sûre ?

— Certaine. Et je serais également honorée que tu choisisses le nom de notre bébé.

A cette nouvelle, les yeux de Celeste s'emplirent de larmes, et elle porta une main à sa bouche en un geste d'intense émotion.

— Tu… tu ne peux pas savoir… comme ça me rend heureuse, bredouilla-t-elle.

— Non. Tu ne peux pas savoir comme ça *me* rend heureuse.

Puis les deux femmes s'étreignirent et, mi-pleurant, mi-riant, tombèrent dans les bras l'une de l'autre.

13.

Byron et Celeste gâtèrent exagérément Gemma durant toute la semaine, lui interdisant de faire quoi que ce soit et la couvant à chaque instant. Le temps se réchauffait de jour en jour, et leur programme se réduisait à des après-midi de farniente au bord de la piscine avant de sortir le soir.

Le vendredi, Gemma fut presque soulagée de voir ses parents repartir. Elle était sûre d'avoir pris quelques kilos, même si sa grossesse l'empêchait de boire du sherry et du vin comme Byron et Celeste, qui ne manquaient jamais une occasion de se servir un verre. Mais si sa mère brûlait les calories à coups de brasses dans la piscine, Gemma, elle, détestait nager. Et il faisait en général trop chaud pour de longues marches.

Son miroir lui avait confirmé, la veille au soir, qu'elle s'était un peu arrondie. Ses seins avaient également grossi, et une marque ressemblant à une vergeture était apparue sur sa hanche. Bien que celle-ci fût presque invisible et isolée, Gemma en avait été traumatisée. Elle s'était imaginé un corps déformé par la grossesse et, sitôt ses parents partis, elle se rendit en ville pour acheter une vidéo de gymnastique pour femmes enceintes et une crème hydratante.

— Tu as l'air fatiguée, fut la première chose que remarqua Nathan quand il arriva, ce soir-là, peu après 7 heures.

Installé devant le poste de télévision, Mâchoire grogna légèrement. Nathan lui jeta un regard noir.

— Garde tes distances et je garderai les miennes, lança-t-il à l'animal.

Puis il se pencha vers Gemma et l'embrassa légèrement sur la joue avant de demander :

— Alors ? Qu'est-ce que tu as fait toute cette semaine ? Je croyais que tes parents étaient censés veiller sur toi, pas t'épuiser.

Gemma se retint de lui expliquer qu'elle avait peut-être un peu trop forcé sur la gymnastique, cet après-midi, et se contenta de hausser les épaules.

— Je… je ne dors pas très bien, ces derniers temps.

— Nous sommes deux, alors, soupira-t-il. Mais sérieusement, j'espère que tu prends soin de toi.

— Une femme enceinte n'est pas une invalide, répondit-elle un peu sèchement, irritée par les images érotiques qui, déjà, envahissaient son esprit.

Mais était-ce la faute de Gemma ? Nathan devait avoir cet effet sur toutes les femmes. La nature l'avait doté d'un physique hors du commun, solaire et puissant. Il n'était pas étonnant que, à seize ans déjà, il eût inspiré un tel désir à des femmes plus âgées.

Mais en satisfaisant ce désir, Lorna avait bien failli le détruire. Et Gemma, en silence, renouvela sa promesse de prouver à Nathan à quel point elle l'aimait lui, en tant que personne, et pas seulement comme amant.

Et ce n'était pas en lui parlant sur ce ton qu'elle y parviendrait ! Réprimant un grognement dépité, elle se fendit d'un sourire penaud.

— Je dois avoir cet air-là parce que j'étais en train de cuisiner. Il fait très chaud. Je sais que tu ne veux pas que je fasse d'efforts, mais je n'avais aucune envie d'aller de nouveau au restaurant. Et comme Jade et Kyle viennent, j'ai mis un gros poulet au four. J'espère que ça ne te dérange pas ?

— Pourquoi veux-tu que ça me dérange ? J'adore ta cuisine.

— Bon. Si tu t'installais tranquillement dans le canapé, maintenant ? Je vais te servir un verre. Je sais ce que c'est que de venir depuis Sydney, surtout un vendredi soir. Qu'est-ce que tu veux ? Coca, bière, vin blanc ?

— Ce que je veux, c'est que tu t'asseyes pendant que *je* vais te chercher à boire. Pour ma part, je vais me servir un verre de vin blanc. Il y a une bouteille au frais ?

— Plusieurs, même. Je crois que Byron et Celeste sont alcooliques !

— Possible, dit Nathan en riant. Ce qui expliquerait pourquoi ils ont l'air si heureux ensemble. Ils ne sont pas amoureux, mais ivres.

En réponse à cette pique, Gemma fronça les sourcils.

— Non, ils ne sont pas amoureux.

Ce fut au tour de Nathan de la dévisager curieusement.

— Pourquoi dis-tu cela ?

— Parce que « être amoureux » n'est qu'une phase. Ils s'aiment, Nathan, tout simplement. Et ce depuis vingt ans.

— Je crois surtout qu'ils ont très envie l'un de l'autre, railla son mari. Byron ne peut pas détacher les yeux de Celeste.

— Dis plutôt les mains.

— Gemma !

— Mais ça ne veut pas dire pour autant qu'ils ne s'aiment pas. Le désir est une facette de l'amour. Je n'envisage pas d'aimer un homme que je ne désirerais pas.

C'était une chose courageuse à dire, surtout à un tel interlocuteur. Nathan plissa aussitôt les yeux et les baissa vers ses seins, couverts seulement d'un T-shirt rose. Gemma n'avait pas pris la peine de se maquiller ni de se coiffer, se contentant de nouer ses cheveux en queue-de-cheval. Il la regardait pourtant comme si elle était la plus belle des femmes.

— Et le contraire ? Pourrais-tu désirer un homme que tu n'aimes pas ?

— Oui, reconnut-elle. Mais pas éternellement. Il me faudrait quelque chose de plus.

— Je n'en suis pas si sûr. Le désir est par nature corrupteur. Il peut pousser à faire des choses étranges…

Gemma l'étudia avec incertitude : ne faisait-il qu'ironiser ou voulait-il lui faire passer un message ?

— Allez, assieds-toi, reprit-il soudain. Je vais te chercher un jus de fruits et me servir un verre. J'ai eu une longue semaine.

Tandis qu'il s'affairait dans la cuisine, Gemma décida de ne pas chercher à déceler un sens caché dans ses propos. C'était sûrement une remarque instinctive, machinale, liée à son enfance difficile. Mais elle ne faisait que souligner le manque de confiance qu'il avait en elle, en l'amour qu'elle affirmait lui vouer. Que devait-elle donc faire pour le convaincre ?

Car ils s'aimaient. Elle en était sûre.

— Merci, murmura-t-elle quand il revint lui donner un verre de jus d'orange.

Mâchoire lui jeta un regard méfiant avant de se rapprocher d'elle, et Nathan soupira.

— Je vois que je suis toujours aussi populaire… Je suppose qu'il a fait la fête à Byron et à Celeste ?

— Pas à ce point.

— Mais il n'a pas essayé de les estropier ?

— Euh… non.

— J'en étais sûr. On dit que les animaux *sentent* les gens. Tu crois qu'il essaie de me faire passer un message ?

— Tout ce qu'il sent, c'est que tu te méfies de lui. Un jour, vous comprendrez que vous n'avez rien à redouter l'un de l'autre et vous deviendrez les meilleurs amis du monde.

— Nous verrons, bougonna Nathan, au moment où le téléphone sonnait.

Gemma n'eut qu'à tendre la main pour décrocher.

— Allô ?

— Gemma, c'est Kyle. Nous avons un petit problème. Nous ne pourrons pas venir. Jade a eu un léger malaise au travail, et le médecin lui a recommandé de se reposer durant le week-end.

— Mais tout va bien ?

Gemma ne pouvait réprimer une certaine inquiétude. Bien qu'enceinte de huit mois, Jade continuait de travailler comme si de rien était. Elle avait plusieurs fois tenté de la mettre en garde, mais sa demi-sœur avait fait la sourde oreille.

— Oui, rien de grave. J'ai bien essayé de lui faire lever le pied, mais comme Byron s'est absenté toute la semaine, elle a au contraire mis les bouchées doubles. Et toi, comment vas-tu ? Nathan nous a dit que ce n'était pas la grande forme ?

— Ça va mieux. Je n'ai presque plus de nausées matinales. Le docteur dit qu'elles devraient bientôt disparaître complètement.

— J'avoue que j'ai rarement vu un mari aussi émotif que le tien, reprit Kyle en riant. Nathan est tout excité. Tu sais, beaucoup de gens se trompent sur son compte. Il paraît très sûr de lui, mais je sais d'expérience que les hommes qui semblent les plus assurés, en surface, sont ceux qui le sont le moins.

— Je suis tout à fait d'accord avec ça.

— Jade m'a chargé de te faire passer un message. Elle te demande d'être gentille avec Nathan. C'est plutôt à lui qu'elle devrait demander d'être gentil. C'est toi qui es enceinte, après tout ! Mais tu connais Jade, elle marche à l'intuition. Tu ferais peut-être bien de l'écouter.

— Ne t'inquiète pas, Kyle.

— Bon, je te laisse. Il faut que je fonce à l'épicerie du coin acheter des tablettes de chocolat. Jade en a une envie subite. Tu as déjà été prise de ces envies irrépressibles ?

— Pas encore.

— Ça viendra, soupira Kyle. Je ferais peut-être bien de donner à Nathan une liste de tout ce qu'il devrait avoir à portée de main s'il ne veut pas se lever en pleine nuit pour écumer la ville. Il est déjà arrivé, au fait ?

— Oui, il y a quelques instants.

— Vous allez passer un week-end en tête à tête, on dirait.

— On dirait.

— Je doute que Nathan trouvera à s'en plaindre, gloussa Kyle. Allez, je te laisse. Prends soin de toi.

— Toi aussi. A bientôt.

Gemma raccrocha et se tourna vers Nathan qui la dévisageait avec une grimace de frustration.

— Ne me dis rien. Ils ne peuvent pas venir.

— Non. Jade a fait un malaise au travail et le médecin lui a ordonné le repos.

— Quelle idiote ! Je lui avais dit de s'arrêter ! Je suis sûre qu'elle sera de retour au bureau dès la naissance du bébé. Je ne comprends pas les femmes qui veulent avoir des enfants, puis qui refusent de rester à la maison pour s'en occuper.

— Ne sois pas aussi étroit d'esprit, Nathan. Jade ne va pas négliger son bébé. Kyle ne le lui permettrait pas. Mais elle a le droit de travailler si tel est son désir.

— Qu'est-ce que tu essaies de me dire ? Que tu voudras travailler dès la naissance du bébé ?

— Bien sûr que non ! J'ai toujours prévu d'être une mère à plein temps et d'avoir plusieurs enfants.

— Plusieurs ? Combien en veux-tu ?

— Je ne sais pas, répondit Gemma avec un haussement d'épaules. Cinq ou six.

Nathan se dressa si brusquement qu'il faillit renverser son verre.

— Cinq ou six ? Eh, j'ai déjà trente-six ans !

— Et moi, répondit-elle tranquillement, je n'en ai que vingt. Et c'est moi qui les porterai. Ton rôle en la matière est assez limité. D'ailleurs, je croyais que tu aimais les enfants ?

Nathan se rassit doucement, encore sous le choc, avant de se lever de nouveau.

— Une chose à la fois, d'accord ? Pour le moment, je vais aller travailler un peu dans le bureau. Appelle-moi quand le dîner sera prêt.

Quelque peu déroutée, elle le regarda quitter la pièce. Une porte claqua, plus loin dans le couloir, éteignant la lueur d'espoir qui s'était allumée dans le cœur de Gemma à l'arrivée de Nathan. Il semblait évident, à présent, que rien n'était résolu. Peut-être la croyait-il toujours incapable de faire la différence entre le désir et l'amour. Peut-être la croyait-il encore trop jeune pour aimer vraiment.

A partir de cet instant, le week-end s'avéra un véritable enfer. Nathan ne sortait de son bureau que pour manger, et son comportement donna l'impression à Gemma de revenir à l'époque de leur lune de miel, quand il s'était mis subitement à écrire. Et elle qui s'était imaginé qu'ils avaient fait des progrès en terme de communication !

Le dimanche venu, la colère et la frustration lui firent quitter la maison pour la plage. Le bord de mer était malheureusement loin d'être désert, en cette saison, au grand dam de Gemma. Elle aurait en effet voulu pouvoir hurler sa frustration à pleins poumons et donner des coups de pied dans le sable. Au lieu de cela, il lui fallut contourner précautionneusement les vacanciers occupés à se dorer au soleil avant d'atteindre le bord de l'eau, où elle se rafraîchit les pieds. Elle aurait aimé s'avancer plus loin, mais elle n'avait pas pensé à mettre son maillot.

— Madame Whitmore ? C'est vous ?

Gemma pivota et se trouva face à un homme qui lui semblait vaguement familier. Il semblait avoir la trentaine, et était assez séduisant malgré l'expression un peu sévère de ses traits.

— Je suis Luke Barton, précisa-t-il, se fendant d'un sourire qui adoucit son visage et le rendit plus séduisant encore. De Campbell Jewels.

Bien sûr ! L'homme qui l'avait tirée des griffes de Damian cette fameuse nuit !

Il la balaya de son regard vif, sans chercher à cacher son appréciation. Il n'y avait cependant aucune concupiscence dans ses yeux, et elle sourit en retour.

— Je sais qui vous êtes, monsieur Barton. Merci de ce que vous avez fait pour moi. Je n'ai jamais eu l'occasion de vous remercier.

— Votre mari l'a fait, ne vous inquiétez pas.

— Ah, oui, dit-elle un peu froidement. Mon mari.

Luke parut percevoir son irritation, car son regard se fit insistant.

— Vous êtes ici en vacances ?

— Non. J'habite ici. Nathan me rejoint pour le week-end. Il est occupé à écrire, en ce moment.

— Je vois… Pour ma part, je suis en vacances jusqu'au nouvel an, Dieu merci. La patronne s'est absentée pendant un mois et ç'a été l'enfer. Mais elle est de retour aux commandes dès demain.

— Je sais. Celeste est ma belle-mère depuis qu'elle a épousé Byron Whitmore, ajouta-t-elle évasivement, comme il la regardait avec surprise.

Pas la peine d'exposer à son interlocuteur la complexité de leurs véritables relations.

— Oh, c'est vrai !

Une vague vint mourir à leurs pieds à cet instant, les éclaboussant copieusement. Luke n'en fut pas dérangé outre mesure, car il était en maillot de bain. Gemma, en revanche, fit un bond en arrière. Du bout des doigts, elle décolla de sa peau son T-shirt trempé d'eau salée.

— Brr… Je vais devoir remonter à la maison me changer.

— C'est loin ? Je peux vous accompagner, si vous voulez. Vous pourrez mettre votre maillot de bain et nous irons nous baigner.

Gemma n'eut pas à réfléchir longtemps pour deviner quelle serait la réaction de Nathan.

— Non, je ne crois pas, Luke… Je peux vous appeler Luke, n'est-ce pas ?

— Si je peux vous appeler Gemma.

— Je n'y vois aucune objection.

Et soudain, elle se rendit compte qu'il n'y avait pas lieu d'en émettre. Elle n'avait pas à se sentir coupable de parler avec cet homme ou de se baigner avec lui. Ce n'était pas un parfait étranger, et il avait déjà prouvé qu'il était digne de confiance. Malgré ce qui s'était passé avec Nathan, elle n'était pas devenue complètement cynique. Elle croyait encore qu'il existait des personnes dignes d'estime, même dans la gent masculine.

— Allez, venez, déclara-t-elle brusquement. La maison n'est pas loin. Nous allons faire la surprise à Nathan.

Surpris n'était pas le mot juste pour qualifier la réaction de Nathan, lorsqu'il la vit revenir en compagnie d'un Luke Barton en tenue de plage. Les manières de son mari furent parfaitement polies, mais Gemma y perçut une froideur sous-jacente. Luke ne parut pas s'en apercevoir, lui, et s'assit sur un tabouret de cuisine pour lui raconter qu'il avait vu sa pièce la semaine précédente.

— J'y ai emmené ma sœur Mandy. Elle a rompu avec son petit ami il n'y a pas longtemps et comme elle se sentait un peu déprimée, je l'ai emmenée au théâtre pour lui remonter le moral. Ça a marché ! Elle n'a pas arrêté de parler de la pièce, après coup. Ou plus exactement de l'acteur principal. Personnellement, je trouvais sa partenaire plus intéressante.

— Lenore est mon ex-femme, annonça Nathan un peu sèchement.

— Vraiment ?

Le regard de Luke glissa vers Gemma, qui fit de son mieux pour se détendre, sans y parvenir.

— Bon, je retourne écrire, déclara Nathan lorsqu'il eut terminé sa tasse de café. J'étais ravi de vous revoir, Luke.

— Je crois que je vais retourner à la plage avec lui et piquer une tête, dit Gemma en retenant son souffle.

Nathan sembla se figer, l'espace d'un instant, avant de se tourner vers eux.

— Dans ce cas, Luke gardez l'œil sur elle. Elle ne nage pas très bien.

— Je veillerai sur elle, ne vous en faites pas.

— J'y compte bien.

Etait-ce un effet de son imagination, se demanda Luke, ou avait-il décelé un avertissement dans la voix de Nathan ? Toujours est-il qu'il ne se sentit plus très à l'aise avec Gemma, et évita dès cet instant toute remarque qui aurait pu être mal interprétée. Ils finirent par se séparer, Luke partant aborder une femme qui le dévisageait depuis déjà un moment. Il n'était pas fâché de quitter Gemma, et d'échapper aux foudres potentielles de Nathan Whitmore. Ce dernier, il le savait, n'était pas un homme que l'on contrariait impunément. Et de plus, s'il trouvait Gemma extrêmement séduisante, elle n'était pas son genre pour autant. Son genre, c'était les brunes d'une trentaine d'années, les filles qui ne lui demandaient rien d'autre qu'une bonne nuit de plaisir.

Exactement comme celle qui lui souriait en cet instant.

Nathan devait avoir guetté le retour de Gemma, car, à la seconde où elle entra dans la cuisine pour se servir un verre d'eau, il se matérialisa derrière elle.

— Tu as bien nagé ?

— A peu près.

— Luke est ici en vacances, c'est ça ?

— Oui.

— Je ne veux pas que tu sortes avec lui.

Outrée, Gemma se tourna vers Nathan pour lui lancer un regard noir.

— Je suis une femme mariée. Je ne sors pas avec d'autres hommes. Mais si je revois Luke, sur la plage ou ailleurs, je lui parlerai.

— Et tu nageras avec lui ? Et tu le ramèneras à la maison boire un café ?

— Je ne vois pas ce qui m'en empêcherait.

— Moi. Je ne veux pas que tu sois seule avec lui.

— Pourquoi ça ? Tu ne me fais pas confiance ?

— Ce n'est pas une histoire de confiance. Je trouve la situation dangereuse. Luke est un homme normal et tu lui plais.

— Mais il ne me plaît pas, lui.

— Ça pourrait arriver...

— Enfin, quel genre de femme crois-tu que je sois ?

— Une femme frustrée, je suppose.

Elle le foudroya du regard, en proie à un mélange de fureur et, c'était vrai, de frustration.

— Peut-être que c'est le cas, mais je n'irai pas pour autant chercher la consolation dans les bras d'un autre homme. Je suis parfaitement capable de me passer de sexe. Ce n'est pas la chose la plus importante du monde. Si tu peux te retenir, j'en suis aussi capable.

— Justement. Peut-être que je n'en suis plus capable, grommela-t-il.

— Dans ce cas, tu sais quoi faire, n'est-ce pas ?

— Oui, je sais quoi faire !

Elle le fixa, le souffle court, et vit une passion incoercible monter dans ses yeux, presque aussitôt suivie d'un tourment bouleversant. Puis il fit une chose qui la sidéra : il se dirigea vers le réfrigérateur, saisit les clés posées dessus et sortit à grands pas de la maison.

En entendant un moteur rugir, elle se précipita sur le balcon, juste à temps pour voir la voiture de Nathan descendre vers la route principale. Elle l'appela à pleine voix mais il ignora ses cris et, dans un crissement de pneus, il disparut.

« Il reviendra, songea-t-elle. Il a laissé ses affaires et son ordinateur. Il reviendra quand il sera calmé. »

Mais le soir venu, Nathan n'était pas revenu. Gemma donna à manger à Mâchoire, puis le fit rentrer. Comme s'il percevait sa tristesse, l'animal vint se blottir à ses pieds et ne bougea plus. Gemma s'était installée devant la télévision, incapable de faire autre chose que de repenser aux heures qui venaient de s'écouler. Qu'avait-elle fait de mal ? Quelle erreur avait-elle pu commettre ?

Peut-être s'était-elle montrée trop cassante pendant la discussion au sujet de Luke Barton. Nathan manquait déjà de confiance en lui, et elle avait été incapable de le rassurer. Mais quelle idiote elle faisait !

7 heures sonnèrent. Puis 8 heures. 9 heures…

Il n'allait vraiment pas rentrer. Résignée, Gemma fit sortir Mâchoire pour la nuit. Elle avait en effet renoncé à le laisser dormir dans sa chambre après avoir découvert une puce dans son lit. Elle essaya ensuite, à tout hasard, de téléphoner à Nathan. Mais il n'y avait personne à l'appartement. Ou alors, il évitait intentionnellement de répondre, sachant que c'était elle qui appelait. Comme s'il voulait la punir. Si c'était le cas, il y parvenait fort bien.

En larmes, elle se força à prendre une douche, et se détendit sous le jet d'eau brûlante. Lorsqu'elle en sortit enfin, elle se sécha énergiquement, prit sa bouteille de crème hydratante et en versa une noix au creux de sa main. Puis elle entreprit de s'en passer sur les seins, à petits mouvements circulaires, l'esprit ailleurs.

Lorsqu'elle revint à la réalité, elle s'aperçut que Nathan la dévisageait dans le miroir fixé au-dessus du lavabo. De frayeur, elle en lâcha la bouteille, qui roula sur le tapis de bain.

— Tu… tu es revenu !

Nathan ne répondit rien, se contentant de fixer son corps nu pendant ce qui sembla une éternité à Gemma. Il s'arrêta sur ses seins luisant de crème puis, lentement, son visage pareil à un masque impénétrable, il se pencha pour ramasser la bouteille. Lorsqu'il se redressa, il se remit à la regarder n silence, si intensément qu'elle eut l'impression d'avoir du mal à respirer.

— Je crois, dit-il enfin en inclinant la bouteille vers sa main, que tu devrais me laisser finir ce que tu as commencé…

14.

— Je ne veux pas voir ma femme réduite à se faire l'amour à elle-même, reprit Nathan d'une voix basse mais posée.

— Ce n'est pas ce que je faisais ! Je... je...

— Chut... Laisse-moi faire.

Du bout des doigts de la main droite, il cueillit un peu de crème et l'étala délicatement sur ses seins. Bientôt, ses deux mains s'y posèrent et entamèrent un mouvement circulaire qui arracha à Gemma un soupir d'extase.

Cela faisait si longtemps qu'elle attendait ce moment... « Ne t'arrête pas, songea-t-elle. Par pitié, ne t'arrête pas ! »

Il s'arrêta, mais ce ne fut que pour remettre de la crème dans sa main, qu'il posa ensuite sur son ventre. Gemma éprouva une déception fugace au fait qu'il avait abandonné ses seins, délicieusement électrifiés par ses caresses. Mais son désir s'enflamma de nouveau bien vite lorsqu'il descendit sur ses cuisses.

— Ecarte les jambes, ordonna-t-il.

Gemma cligna des yeux et leva vers lui un regard hagard. Il paraissait tellement maître de lui qu'elle eut l'impression de recevoir une douche glacée. Elle ne voulait pas, en effet, d'un amant calme et réfléchi. Elle le voulait fougueux et passionné, tel qu'elle l'avait toujours connu. Elle le voulait fiévreux, sauvage, animal.

Elle était sur le point de formuler son souhait lorsque, lisant peut-être quelque chose sur son visage, il la prit brusquement dans ses bras et l'embrassa à en perdre haleine. Gemma en fut d'autant plus stupéfaite et déroutée qu'elle sentit pointer, contre son ventre, toute la force de son désir pour elle. Il ne se contrôlait donc pas autant qu'il en donnait l'impression !

Le désir de Nathan enflamma le sien et lui arracha un gémissement de plaisir. Telle une fleur, ses lèvres s'ouvrirent pour laisser leur baiser s'approfondir. Il glissa une main entre ses cuisses et se mit à la caresser intimement, éradiquant la dernière parcelle de raison qui lui restait encore. En quelques secondes, elle fut réduite à un tel état d'excitation qu'elle n'opposa aucune résistance lorsqu'il la prit dans ses bras et la transporta jusqu'à la chambre.

Là, sans cesser de l'embrasser, Nathan la déposa lentement sur le lit. Puis il entreprit de se déshabiller, revenant à l'assaut de ses lèvres entre chaque vêtement.

— Dis-moi que tu m'aimes…, le supplia-t-elle lorsqu'il s'allongea enfin, nu, sur elle.

Elle perçut physiquement son hésitation, et cela la rendit folle.

— Dis-le ! s'écria-t-elle en plantant ses ongles dans son dos.

Avec un grondement étouffé, Nathan roula sur le côté en l'entraînant, si bien qu'elle se retrouva à califourchon sur lui.

— Pourquoi refuses-tu de le dire ? demanda-t-elle, écartant d'une main tremblante le rideau de cheveux qui lui tombait devant les yeux. Tu m'aimes autant que je t'aime. Je le sais.

— Vraiment ? Ne te fonde pas sur ce que tu ressens en ce moment. Ce n'est pas de l'amour. Je peux procurer ce genre de sensations à n'importe quelle autre femme.

De colère, Gemma voulut se dégager, mais il la retint si vivement par les poignets qu'elle s'effondra sur son torse. Leurs visages n'étaient plus qu'à quelques centimètres à peine.

— Tu es un monstre, tu sais ça ?

— Oui.

— Je... Je te déteste !

Un sourire malicieux apparut sur les lèvres de Nathan.

— Là, tu mens. Tu ne me détestes pas, même si tu as toutes les raisons de le faire. La vérité, c'est que tu as envie de moi. C'est pour cela que tu es revenue de Lightning Ridge. Appelle ça de l'amour si ça te chante, mais ça ne changera rien à la réalité. Ce qu'il y a entre nous, c'est de l'alchimie sexuelle. Et je serais hypocrite si je prétendais qu'il s'agit d'autre chose. Mais si tu te taisais, maintenant ? J'ai envie de te faire l'amour, pas de débattre avec toi.

— Pourquoi ?

— Pourquoi quoi ?

— Pourquoi es-tu revenu ? Tu avais peur que je me tourne vers Luke Barton, livrée à moi-même ?

— En partie.

— Et quelle est l'autre raison ?

Nathan ne put s'empêcher de rire.

— Tu dois vraiment poser la question ? Ça fait une semaine que je grimpe presque aux murs de frustration. Dieu seul sait comment j'ai survécu. Même écrire ne me soulage plus. J'ai besoin de *ça*...

Ses mains agrippèrent soudain les genoux de Gemma et les écartèrent, si bien qu'elle se retrouva à cheval juste au-dessus de sa virilité conquérante. Leurs chairs s'effleurèrent, puis il la pénétra d'un seul coup, telle une lame traversant un rideau de velours. La première réaction de Gemma fut de lutter, car l'adrénaline qui déboulait dans ses veines menaçait de la rendre folle. Mais Nathan l'emprisonna en une étreinte d'acier.

— Surtout, ne bouge pas, hoqueta-t-il.

— Mais tu me fais mal…

Comme il lui retournait une expression presque paniquée, elle précisa aussitôt :

— Tes mains sur mes hanches… Serre moins fort.

— Ah !

Il atténua sa pression sur elle, et caressa les marques rouges qu'il avait laissées sur sa peau.

— Désolé… J'ai tendance à m'emporter avec toi.

— Je sais.

— Hmm, arrête de te vanter… Et surtout, tais-toi, je n'arrive pas à me concentrer ! Tu ne m'as jamais habitué à parler en faisant l'amour…

Il bougea légèrement le bassin, arrachant à Gemma un cri de plaisir. Jamais elle n'avait été sur lui, et elle en tirait une satisfaction incroyable. Presque instinctivement, elle répondit à ses mouvements en bougeant à son tour les hanches. L'expression de surprise qui apparut sur les traits de son mari enflamma encore son excitation. Soudain, elle voulut l'entendre gémir, lui faire perdre tout contrôle. Tout son être se contracta autour du faisceau qui l'emplissait, et Nathan laissa échapper un soupir brisé, comme s'il souffrait.

— Oh…

Il voulut la prendre par les épaules et l'attirer contre lui mais elle résista. Les mains de Nathan descendirent alors sur ses seins et les caressèrent, les pétrirent de plus en plus farouchement comme leurs mouvements s'accéléraient, atteignant un rythme frénétique. Gemma n'avait jamais rien éprouvé de si bouleversant de sa vie. Sa conscience tou. entière paraissait s'être concentrée autour de Nathan, de la vallée qu'il conquérait à coups répétés, saccadés, erratiques. C'était à la fois une torture et un délice. Elle n'aurait pu s'arrêter même si la maison s'était effondrée autour d'eux.

— Oui, soupira-t-elle en sentant son corps se tendre brusquement. Oui ! gémit-elle, quand tout parut exploser dans sa tête. Oui ! cria-t-elle lorsqu'une convulsion foudroyante la traversa, au moment où Nathan parvenait à l'extase.

Il lui fallut quelques minutes pour retrouver son souffle, effondrée sur le torse de son mari. Alors seulement elle prit conscience de l'étrange malaise qui s'était instillé en elle. Etait-ce le silence de Nathan qui l'inquiétait, ou le comportement débridé dont elle venait de faire preuve ? Durant quelques instants, elle s'était en effet noyée dans le plaisir, au point d'en oublier tout le reste. Nathan y avait-il vu une confirmation de sa théorie ? S'imaginait-il, plus que jamais, qu'elle n'éprouvait qu'une attirance physique pour lui ?

Lorsqu'un profond soupir souleva son large torse, ses doutes ne firent que s'accentuer. Elle devait parler, dire quelque chose pour rompre cette affreuse tension qui emplissait peu à peu la pièce.

— Tu comptes rester ? demanda-t-elle d'une voix ridiculement aiguë.

— Tu veux dire cette nuit ?

— Non, pas seulement cette nuit. Si tu ne t'occupes plus de ta pièce, tu pourrais emménager ici. Après tout, c'est à Avoca que tu voulais vivre quand nous nous sommes mariés. Tu pourrais garder l'appartement de Sydney comme pied à terre et…

— Non, je crois que je vais le vendre.

Gemma, à cette nouvelle, réprima un soupir d'intense soulagement.

— Comme tu voudras.

— Ce que je veux, c'est prendre une douche. Avec toi.

D'une main, il lui souleva le menton et la força à le regarder. Ce qu'elle lut dans ses yeux la terrifia. Un cynisme presque douloureux y brillait, mêlé à une sombre résolution. Ce regard lui signifiait qu'elle avait franchi une ligne invisible en acceptant de coucher de nouveau avec lui, et qu'il ne la laisserait pas faire machine arrière.

En un seul mouvement, leste et puissant, il se mit debout et la porta dans ses bras jusqu'à la salle de bains où, après avoir réglé la température de l'eau, il entra avec elle dans la douche.

Gemma n'aurait su dire comment, mais ses deux jambes glissèrent de chaque côté des hanches de Nathan et il se retrouva de nouveau en elle, pleinement éveillé, plus vigoureux que jamais. L'eau éclaboussait leurs corps nus, étroitement enlacés, les aveuglait, ajoutait à leur passion croissante, se mêlait à leurs baisers.

Au moment où elle s'y attendait le moins, Nathan la relâcha. Elle vacilla, et dut prendre appui contre les carreaux humides pour ne pas s'effondrer tant ses jambes tremblaient.

— Frotte-moi, ordonna-t-il avec un sourire en coin, en lui tendant le savon.

Elle obéit, d'abord hésitante, puis s'enhardit peu à peu, descendant le long de son ventre jusqu'à la toison qui couronnait son pelvis. Grisée par le rythme saccadé qu'avait pris la respiration de Nathan, elle s'aventura plus bas encore...

— Non..., gronda-t-il comme elle lâchait soudain l'éponge pour se mettre à genoux devant lui.

Mais elle l'ignora complètement et, insoucieuse de l'eau qui ruisselait sur sa tête, se pencha vers lui.

— Non, répéta-t-il avec nettement moins de conviction.

Jamais elle ne se serait imaginée faire une chose pareille à un homme. Pourtant, en cet instant, cela lui paraissait une façon très naturelle d'exprimer la passion et le désir qu'elle ressentait pour Nathan.

Il sembla tout à coup se crisper, et elle fut prise d'une farouche envie de le mener jusqu'au plaisir suprême. Elle ne le laisserait pas s'y soustraire. Ses lèvres accrurent leur pression, ses doigts se firent plus agiles.

Tout à coup, l'eau s'arrêta. Deux mains puissantes la saisirent par les épaules et l'enveloppèrent dans une large serviette. Puis Nathan la porta de nouveau jusqu'au lit.

— Si je pensais un seul instant que tu as fait ça pour un autre homme, je t'étranglerais sur-le-champ.

— Tu sais que ce n'est pas le cas, répondit-elle. C'est toi qui as fait de moi ce que je suis aujourd'hui. Ne me dis pas que tu as peur de ta création. C'est ce que tu as toujours voulu.

Doucement, elle le repoussa, appuya ses deux mains sur sa poitrine encore humide pour l'allonger sur le lit.

— Laisse-moi te faire l'amour…

Du bout des lèvres, elle cueillit les gouttes d'eau qui perlaient sur sa peau, et murmura tout contre lui :

— Je veux le faire, Nathan. Et tu en as envie. Laisse-moi faire…

Il la laissa faire.

15.

— Est-ce qu'Ava n'est pas ravissante ? lança Gemma dans un soupir.

— Toute mariée est ravissante, répondit Nathan, coulant vers elle un regard pensif. Tu regrettes de ne pas avoir eu un grand mariage en blanc ?

— D'une certaine façon, oui. Ça m'aurait fait de beaux souvenirs. Mais il est un peu tard, maintenant, ajouta-t-elle en tapotant son ventre, qu'arrondissaient quatre mois de grossesse sous une robe abricot.

Avec Nathan, le bonheur était revenu dans sa vie. Elle avait d'abord redouté que leur relation n'ait pas changé mais, plus le temps passait, plus elle était persuadée de la profondeur des sentiments qui les unissaient. Nathan n'avait certes pas affirmé l'aimer, mais il le prouvait quotidiennement par mille attentions. Gemma n'aurait pu rêver mari plus tendre. Même Mâchoire s'était laissé charmer, et passait à présent la plupart de ses soirées aux pieds de Nathan.

Bien sûr, elle aurait aimé l'entendre *dire* qu'il l'aimait. Mais elle ne voulait pas trop lui en demander. Apparemment, Nathan n'était pas à l'aise avec le mot « amour ». Peut-être ne le serait-il jamais.

Son attention se porta sur Ava qui, debout devant l'autel, posait sur Vince un sourire de pure adoration. Lorsqu'elle prononça les vœux qui la liaient au séduisant Italien, sa voix se mit à trembler, et Gemma sentit une boule d'émotion se loger dans sa gorge.

— Je crois que je vais pleurer.

— Oh non…

— Je te dis que si. Je ne peux pas m'en empêcher. Tu peux me prêter ta pochette ?

— Tu n'as pas de mouchoir ?

Avec un soupir, il tira de son costume sa pochette de soie, dans laquelle Gemma se moucha aussitôt. En l'entendant, Jade se retourna et fronça les sourcils.

— Ne me dis pas que tu pleures ? Je vais m'y mettre moi aussi. Tiens, Kyle, prends le bébé. Je vais fondre en larmes…

Kyle ne fut que trop heureux de prendre son précieux Dominic dans ses bras. Le regard qu'il posa sur son fils endormi dépassait même en dévotion celui d'Ava pour son nouveau mari. Agé d'un mois à peine, Dominic Henry Gainsford était déjà l'idole de ses parents, au point que Jade avait décidé que l'arrivée d'un second bébé pourrait attendre un peu plus longtemps.

Gemma, pour sa part, n'avait aucune intention d'espacer les naissances de ses futurs enfants. Elle entendait bien leur donner le jour l'un après l'autre, jusqu'à satiété. Peut-être leur faudrait-il vendre la maison d'Avoca, à terme, mais il était inutile de s'en inquiéter pour le moment. Et puis, Nathan devait encore s'habituer à l'idée qu'elle voulait six enfants !

Le fait de songer à sa future famille l'aida à se ressaisir, et elle se concentra de nouveau sur la cérémonie, au moment même où le prêtre déclarait Vince et Ava mari et femme. Gemma regrettait, c'est vrai, de ne pas avoir eu un mariage aussi émouvant. Mais elle avait déjà beaucoup de chance.

Elle devait arrêter de réclamer toujours plus. N'était-elle pas arrivée sans le sou, un an auparavant, à Sydney ? Elle avait trouvé depuis lors une famille, un mari, et allait donner naissance à leur premier bébé. Que pouvait-elle demander de mieux ?

— Nous pouvons nous asseoir, chuchota Nathan comme les mariés contournaient l'autel pour signer le registre.

Elle obéit, tandis que la musique envahissait la petite église. Ce répit lui permit de regarder autour d'elle. Le côté réservé à la famille et aux amis du marié était bondé, ce qui n'était guère surprenant. Il semblait que l'Italie tout entière avait débarqué à Sydney à cette occasion. Du côté d'Ava, Gemma repéra des têtes qu'elle ne connaissait pas. Sans doute des gens que la jeune femme avait rencontrés récemment, suite à l'exposition de ses toiles dans une galerie connue de Sydney. Son vernissage avait été un véritable événement, et Ava s'était vue consacrée du jour au lendemain « l'une des artistes les plus prometteuses du pays » par un quotidien d'importance.

Gemma regrettait seulement que Melanie n'ait pas pu venir. Plus que la gouvernante des Whitmore, elle avait été une véritable amie. Mais Melanie avait accouché trois jours plus tôt d'une petite Tanya, ce qui rendait tout déplacement impossible. Royce et elle avaient cependant promis de venir dans quelques mois, une fois que Gemma aurait elle aussi accouché.

Quel serait le sexe de son bébé ? se demanda-t-elle une nouvelle fois. Nathan et elle avaient délibérément refusé de le savoir à l'échographie. Ils voulaient avoir la surprise. Quant aux prénoms... Puisqu'elle avait promis à Celeste de la laisser choisir, elle essayait de ne pas penser elle-même à des noms qui lui plaisaient. Mais elle espérait très sincèrement que sa mère saurait faire preuve d'un certain classicisme.

Elle ne voulait pas que son enfant à naître devienne plus tard la risée de ses camarades !

— Byron m'a dit que Celeste avait donné l'Opale noire à un musée, déclara Nathan pendant qu'ils patientaient. Il paraît qu'elle te l'a proposée, mais que tu l'as refusée.

— C'est exact.

— Je suppose que tu vas m'expliquer qu'une opale de plusieurs millions de dollars n'est qu'une « chose ».

— Ce n'est pas le cas ?

— Il n'y a que toi pour le penser.

— Tu m'en veux de l'avoir refusée ?

— Je t'en veux d'avoir raison. J'espère que je n'ai pas fait de bêtise.

— A quel sujet ?

— Une chose que je t'ai achetée.

— A savoir ? demanda Gemma, dissimulant son inquiétude derrière un sourire affable.

— J'aurais peut-être dû t'en parler d'abord, marmonna-t-il. Te consulter.

— Nathan, s'emporta-t-elle à voix basse, si tu ne me dis pas tout de suite de quoi il s'agit, prépare-toi à passer la nuit dans ton bureau. A écrire !

Son mari lui décocha un tel regard d'effroi qu'elle ne put s'empêcher de pouffer. Sa production littéraire des derniers mois avait été quasiment inexistante, leurs nuits étant occupées à d'autres activités… Heureusement pour les finances de Nathan, Cliff Overton lui avait acheté non seulement les droits d'adaptation de *La Femme en noir*, mais d'autres pièces également.

— Belleview, dit-il d'une voix presque misérable. Je t'ai acheté Belleview.

Gemma crut que son cœur allait s'arrêter, et ses yeux s'emplirent de larmes.

— Je pensais que tu aimerais vivre là-bas. Tu as eu l'air si triste quand je t'ai annoncé que Byron voulait vendre cette maison. Je me suis dit que… Oh, et puis tant pis. Je me suis encore trompé, pas vrai ?

Secouant la tête, elle se tamponna les yeux à l'aide de sa pochette de soie.

— Rien n'aurait pu me faire plus plaisir, murmura-t-elle d'un filet de voix.

— C'est vrai ? Tu le penses ?

En guise de réponse, Gemma fondit en larmes. La chose passa heureusement inaperçue, une bonne partie du clan Morelli étant déjà en train de sangloter et de se moucher bruyamment.

— Enfin, soupira Nathan en l'attirant contre lui. Enfin j'ai fait quelque chose de bien.

Plus tard, ce soir-là, Gemma se glissa dans son lit, épuisée mais heureuse. Le trajet depuis Sydney jusqu'à Avoca, après la fête, l'avait fatiguée, et elle n'avait pas été fâchée de pouvoir enfin se déshabiller, se doucher et se coucher entre des draps frais. Malgré la fenêtre ouverte, la brise nocturne peinait à chasser la touffeur de la journée.

— Tu as fait vite, observa Nathan, pénétrant à son tour dans la chambre. Dois-je y voir un indice ?

— Surtout pas, répondit-elle dans un bâillement.

— C'est comme ça que tu me remercies ? Je t'achète une maison à trois millions de dollars et voilà ce que je récolte ?

— Je te remercierai demain matin.

— Je serai peut-être mort demain matin.

— Tu ne connais pas le sens du mot « non » ? le taquina Gemma.

— Non.

Tout en parlant, il avait ôté sa chemise, révélant un torse glabre et sculptural, tanné par les longues heures qu'ils avaient passées au soleil.

Lorsqu'il entreprit de déboucler sa ceinture, Gemma se surprit à réévaluer l'intensité de sa fatigue. Quand il se retrouva entièrement nu, elle avait pris sa décision. Avec un sourire mi-angélique, mi-provocateur, elle fit glisser les draps pour révéler la naissance de ses seins. Elle avait depuis longtemps renoncé à porter quoi que ce fût au lit, puisqu'elle se retrouvait systématiquement nue le lendemain.

Le regard de Nathan s'assombrit et se posa longuement sur elle, mais il tourna soudain les talons et disparut dans la salle de bains, où le bruit de la douche se fit bientôt entendre. Frustrée, Gemma tourna le dos à la porte. C'était tout lui ! L'ignorer après avoir éveillé son intérêt ! Il adorait jouer avec ses nerfs, parfois.

La douche s'arrêta enfin et elle frémit d'expectative, s'attendant à tout moment à sentir son corps nu se lover contre elle. Puis, avec un peu de chance, il commencerait à taquiner ses seins, et la transformerait en un rien de temps en une marionnette ivre de désir, dont il pouvait user à son gré. Il la posséderait dans cette même position, comme il l'avait fait ces derniers temps, affirmant que c'était celle qui dérangeait le moins le bébé.

Seigneur, le simple fait d'y penser la troublait déjà...

Et tout à coup, il fut là, en elle. Il l'avait pénétrée sans autre forme de préambule, et émit un soupir rauque de plaisir lorsqu'elle se mit à osciller frénétiquement contre son bassin. Ils atteignirent le plaisir en quelques minutes à peine, en une course farouche qui les laissa tous deux pantelants et engourdis. Comme chaque fois qu'ils faisaient l'amour, Gemma se sentit envahie d'une profonde paix intérieure.

— Tu as une drôle de façon de dire non, murmura son compagnon à son oreille.

— Hmm…

— Comment va le bébé ? reprit-il en posant une main large et tendre sur l'arrondi de son ventre.

— Il grandit.

— Eh ! Il a bougé ! C'est la deuxième fois cette semaine.

— Il proteste peut-être contre toute cette agitation.

— Il ferait bien de s'y habituer. Je n'y renoncerai que sur ordre du médecin.

Elle se mit à rire doucement, et Nathan enchaîna d'un ton plus grave :

— Tu es vraiment contente, pour Belleview ?

Gemma tourna la tête pour plonger dans ses yeux un regard brûlant d'émotion.

— C'est merveilleux. J'adore cette maison.

Il l'embrassa. Comme d'habitude, il ne lui dit pas qu'il l'aimait. Pourtant, pour la première fois depuis une éternité, elle en souffrit. Peut-être perçut-il sa douleur, car ses caresses se firent plus sensuelles, plus intimes, jusqu'à ce que le désir chassât de nouveau toute pensée.

Mais ses doutes revinrent lorsque tout fut fini. Allongée entre les bras de Nathan, incapable de trouver le sommeil, elle ne put s'empêcher de songer à Ava et Vince. Nul doute que ce dernier avait dit à son épouse qu'il l'aimait. Il lui avait même sûrement tellement répété qu'Ava devait considérer cela comme parfaitement normal. Elle ne soupçonnait pas la chance qu'elle avait.

Des larmes perlèrent entre les cils de Gemma, et ce fut sur un oreiller humide qu'elle s'endormit enfin.

*
* *

Les premières contractions survinrent alors qu'elle était seule à la maison. C'était par un dimanche de juin, deux semaines avant la date fixée pour l'accouchement. Nathan était parti tôt le matin même pour aider Byron et Celeste à emménager dans leur nouvel appartement.

Au début, Gemma crut qu'il s'agissait d'une contraction isolée. Mais lorsque la douleur recommença, plus violente, elle sut que le bébé était en route.

S'efforçant de ne pas paniquer, elle téléphona à Belleview. Quand personne ne répondit, elle se rendit compte qu'elle n'avait pas le nouveau numéro de ses parents, pas davantage que leur adresse exacte. Elle essaya ensuite de joindre Nathan sur son téléphone de voiture, sans plus de succès. L'espace d'un instant, elle fut désemparée.

— Jade ! s'écria-t-elle brusquement.

Heureusement, sa demi-sœur était chez elle.

— Jade, c'est moi, annonça-t-elle, s'efforçant de ne pas trahir sa peur. J'ai des contractions et Nathan n'est pas là. Il est avec Byron et Celeste et…

Une nouvelle et brutale contraction lui arracha un cri. C'était comme si quelqu'un venait de lui planter un couteau dans le ventre.

— Oh, Jade, ça fait mal…

— Je sais, je sais. Je ne m'attendais pas à ça, moi non plus. Pourquoi crois-tu que je ne veux pas tout de suite d'un deuxième enfant ? A présent, écoute-moi. Tu vas appeler un taxi et te faire conduire à l'hôpital. Où est ta maternité ?

— Gosford District.

— Parfait. Je me charge de trouver Nathan et de l'envoyer là-bas. Une fois que tu y seras, demande tous les antidouleur possibles. Oublie l'accouchement naturel. C'est sans doute un truc que les hommes ont inventé pour nous faire payer d'en avoir fait des pères. Tu as tout compris ?

— Oui.

— Appelle le taxi, alors. Tout de suite.

— D'accord…

A peine le chauffeur de taxi lui eut-il jeté un coup d'œil qu'il pâlit visiblement. Après l'avoir installée à l'arrière, il fonça vers l'hôpital comme s'il avait tous les démons de l'enfer à ses trousses. Par bonheur, il n'y avait que peu de circulation le dimanche, et ils parvinrent à l'hôpital sans encombre quinze minutes plus tard. A ce stade, les contractions s'étaient rapprochées et semblaient prendre un malin plaisir à s'enchaîner sans lui laisser de répit. Gemma se mordait la lèvre pour se retenir de crier, mais un gémissement occasionnel lui échappait.

Dix minutes plus tard, elle était installée dans une chambre. Dans son esprit, la naissance ne pouvait être qu'imminente. Mais lorsque son médecin vint enfin l'examiner, et lui apprit que cela pouvait encore durer quelques heures, elle le dévisagea avec horreur.

— Je… je ne suis pas sûre de pouvoir supporter la douleur très longtemps…

Le médecin lui tapota la main en signe d'encouragement, puis ordonna à une infirmière de préparer une injection de péthidine.

— Nous allons faire de notre mieux pour vous soulager. Mais certains bébés ne sont guère pressés… Vous feriez bien de vous détendre.

Se détendre ? Comment se détendre avec la douleur qui lui déchirait le ventre ?

— Vous avez pris des cours de respiration, n'est-ce pas ?

— O-Oui.

— Bon. Vous haletez donc pendant les contractions, et vous respirez profondément entre. Et voici qui devrait vous aider…

Elle sentit à peine l'aiguille mordre dans sa peau. En comparaison des contractions, ce n'était qu'un détail parfaitement négligeable. Ils pouvaient bien lui planter des aiguilles dans tout le corps si cela parvenait à la soulager !

Gemma aurait voulu pleurer, mais la fierté l'en empêcha. Elle n'était pas la première ni la dernière à accoucher. Que lui arrivait-il ? Etait-elle lâche ? Peureuse ? Et si la tête du bébé était trop large ? Elle aurait voulu poser mille questions au médecin, mais il fut aussitôt appelé pour une césarienne.

Des images sanglantes lui envahirent aussitôt l'esprit. Mais où était Nathan ? Et Celeste ? Elle voulait son mari. Elle voulait sa mère. Elle…

Une brume s'infiltrait lentement dans son esprit, et la douleur se fit un peu moins intense. Peut-être que tout irait bien, après tout…

Lorsque Nathan reçut le coup de fil de Jade, il crut mourir. Il avait laissé sa femme toute seule pour affronter cela. Elle devait avoir peur. Quel imbécile il faisait ! Quelle idée d'abandonner une femme enceinte !

Par chance, il n'était pas très loin de la Pacific Highway, en route pour Belleview. Il fit un brusque demi-tour et, quelques minutes plus tard à peine, il fonçait en direction du nord. Tant pis pour les limitations de vitesse. Son pied enfonça l'accélérateur et la Mercedes avala les kilomètres en un rien de temps.

Une demi-heure plus tard, il s'arrêtait en dérapant devant l'hôpital et se ruait à l'intérieur.

— La maternité ? cria-t-il à la première infirmière qu'il croisa.

Abasourdie mais néanmoins sensible au charme de Nathan, l'infirmière l'accompagna toutes affaires cessantes jusqu'à la chambre où se trouvait Gemma.

Du moins, où aurait *dû* se trouver Gemma. Car le lit était vide.

— Elle doit être en salle de travail. Mais avant de la rejoindre, il est nécessaire que vous passiez une blouse, un masque…

— Alors donnez-moi ce qu'il faut, coupa Nathan. Et vite. Parce que, s'il arrive quelque chose à ma femme et que je ne suis pas là, je fais un procès à cet hôpital !

— Poussez plus fort pendant la prochaine contraction, recommanda le médecin. Laissez-vous aller.

Gemma jeta un coup d'œil désespéré vers la porte, toujours fermée.

— Est-ce que mon mari est là ? demanda-t-elle pour la dixième fois.

Avant que l'infirmière pût répondre, une nouvelle contraction la saisit, et elle grimaça.

— S'il vous plaît… Allez voir.

L'infirmière jeta un coup d'œil au médecin, qui acquiesça. Pendant qu'elle se dirigeait vers la porte, Gemma essaya de pousser. Mais elle se demandait si elle ne retenait pas inconsciemment le bébé en attendant l'arrivée de Nathan.

— *Poussez*, Gemma, ordonna le médecin avec une pointe d'irritation.

La douleur retomba enfin. Au même instant, Nathan déboula dans la pièce. Une infirmière trottait derrière lui, s'efforçant de lui nouer son masque tout en marchant. Il se précipita vers Gemma et lui saisit la main, une lueur angoissée dans le regard. Elle lui retourna un pâle sourire, et aurait sans doute dit quelque chose si une contraction ne lui avait pas coupé le souffle.

— Poussez, Gemma. Poussez !

Ses ongles s'enfoncèrent dans la paume de son mari. Mais il ne dit rien, trop heureux de partager à sa façon sa douleur.

— C'est bien, la félicita le médecin. Continuez comme ça et ce sera bientôt fini.

Nathan regardait le visage pâle de son épouse, ses yeux cernés. Dire qu'il l'aimait plus que sa propre vie. Comment avait-il pu ignorer la profondeur de ses sentiments pour elle ? Redouter qu'il ne s'agisse que de désir ?

Tendrement, il se pencha vers elle et, du bout des lèvres, effleura son front baigné de sueur.

— Tu peux le faire, ma chérie.

Alors il la vit rassembler toutes ses forces en un effort suprême. Une fois, deux fois, trois...

Les pleurs d'un bébé le prirent par surprise. Dans son inquiétude pour Gemma, il en avait presque oublié pourquoi il se trouvait là.

— Vous avez un fils, annonça le médecin en souriant. Infirmière, laissez Gemma prendre l'enfant un instant. Elle le mérite.

Sur le visage radieux de sa femme, Nathan vit un bonheur infini chasser toute trace de l'effort qu'elle venait de fournir.

— C'est merveilleux, murmura-t-elle en prenant le bébé dans ses bras. Regarde, Nathan... N'est-ce pas la plus belle chose du monde ?

Nathan déglutit, profondément ému. Si, songea-t-il. Sa femme et son fils formaient la plus belle image de sa vie.

Son cœur se serra, l'espace d'une seconde, lorsqu'il songea à la façon dont son enfant avait été conçu, mais il comprit aussitôt que le passé n'avait plus d'importance. Seul comptait ce qu'il dirait et ferait à partir d'aujourd'hui.

En secret, il résolut d'épouser de nouveau sa Gemma. Il ferait les choses bien, cette fois. Tout le monde serait là pour les voir échanger leurs vœux, même Ma. Il y aurait de la musique, des fleurs à n'en plus finir, une fantastique réception. Puis ils s'installeraient ensemble à Belleview.

Mais, plus important encore, il était décidé à ne plus laisser passer un seul jour sans faire savoir à Gemma à quel point il l'aimait.

— Comment crois-tu que Celeste voudra l'appeler ? demanda-t-elle à cet instant, interrompant le cours de ses pensées.

— Alexander, déclara-t-il aussitôt. Elle m'a appelé en chemin pour que je puisse te le dire. Alexander si c'était un garçon, Augusta si c'était une fille.

— Dieu merci, c'est un garçon ! dit Gemma en riant.

— Dans ce cas, donnez-moi Alexander, intervint l'infirmière. Il a besoin d'être baigné et habillé.

Et elle s'en alla, faisant des grimaces affectueuses au bébé.

— Je vois que c'est déjà un bourreau des cœurs, commenta Gemma. Il tient de son père.

— Non, il tient de sa mère.

— En quoi ?

— Il est adorable.

Gemma crut que son cœur s'arrêtait de battre. Il n'avait pas été loin de lui avouer qu'il l'aimait.

Retirant son masque, Nathan se pencha pour l'embrasser, si légèrement que cela lui parut la caresse d'une plume sur ses lèvres.

— Est-ce que je t'ai déjà dit que je t'aimais ? murmura-t-il.

— Je… je…, fut tout ce qu'elle put bredouiller.

— Je t'aime.

Alors Gemma ferma les yeux puis laissa échapper un soupir de bonheur.

— Je t'aime, répéta-t-il d'une voix tremblante.

A présent, elle croyait aux miracles.

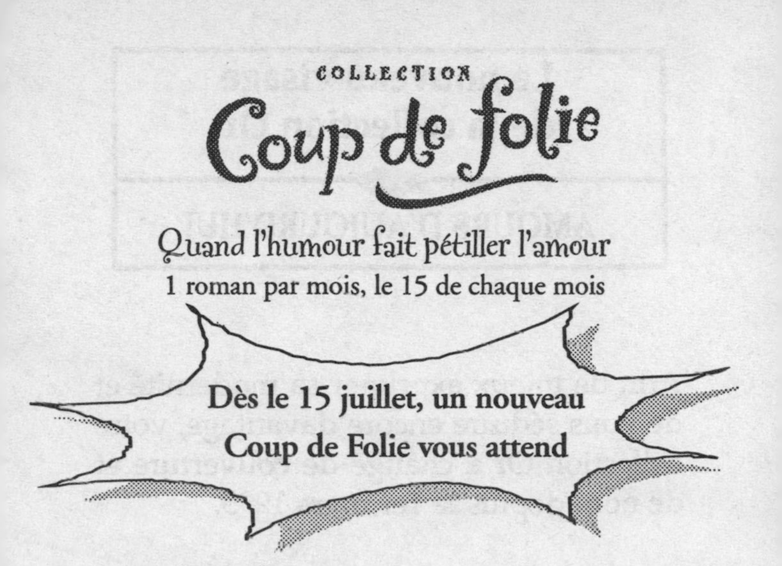

Tête-à-tête amoureux, par Jennifer Drewe - n° 13

Kim n'a qu'une idée en tête : gagner au plus vite Phoenix, où sa sœur l'attend. Oui, mais voilà, quand le destin s'en mêle, un simple voyage peut devenir une véritable épopée ! Et pour Kim, les ennuis commencent à l'aéroport, quand sa valise remplie de sous-vêtements a la très mauvaise idée de répandre son contenu sur le sol... C'est précisément à ce moment-là qu'elle rencontre Rick, un séduisant voyageur qui, bon gré, mal gré, devient son nouveau compagnon de voyage... et de fortune !

Chère lectrice,

Vous nous êtes fidèle depuis longtemps?
Vous venez de faire notre connaissance?

C'est pour votre plaisir que nous avons imaginé un rendez-vous chaque mois avec vos auteurs préférés, vos AUTEURS VEDETTE *dans les collections* Azur *et* Horizon.

Les AUTEURS VEDETTE *vous donneront rendez-vous pour de nouveaux livres vedette.*

Pour les reconnaître, cherchez l'étoile... Elle vous guidera!

Éditions Harlequin

AUT-R-R

LE FORUM DES LECTEURS ET LECTRICES

Composé et édité
PAR LES ÉDITIONS HARLEQUIN
Achevé d'imprimer en juin 2003

BUSSIÈRE
GROUPE CPI

à Saint-Amand-Montrond (Cher)
Dépôt légal : juillet 2003
N° d'imprimeur : 33123 — N° d'éditeur : 9958

Imprimé en France